abc

B1

DELF

Corinne KOBER-KLEINERT
Marie-Louise PARIZET

CLE
INTERNATIONAL

Crédits photographiques

p. 41 : © Télérama • p. 43, 44, 45, 48, 54, 62, 63, 65, 66, 129 b : © Fotolia • p. 46 g : Wolfgang Celler – d : Ursula zur Nieden • p. 49 (phare) : Alain Rausch – (bols) : Francesco Pogliani – (nœuds) : Gero Kleinert – (Traou Mad) : Gero Kleinert – (Fleur de sel de Guérande) : Gero Kleinert • p. 50 g : © Samsung – mg : © Sony – md : © ASUS – d : © Huawei • p. 51 : © Apple • p. 58 : Corinne Kober-Kleinert • p. 64 : Domaine du Nozay, Domaine Vincent Stoeffler, Nicolas • p. 71 : © Decathlon • p. 75 : Foliflora, Aquarelle, Fleurs de Nicolas • p. 129 m : Wolfgang Celler, © ADAGP, Paris, 2012 • p. 140 : © BI ADAGP © ADAGP, Paris, 2012 • p. 143 : Corinne Kober-Kleinert

Directrice de la production éditoriale : Béatrice Rego
Marketing : Thierry Lucas
Édition : Christine Delormeau
Conception couverture : Mizenpages
Réalisation couverture : Dagmar Stahringer / Griselda Agnes
Conception graphique : Mizenpages
Mise en pages : Christine Paquereau
Recherche iconographique : Clémence Zagorski
Enregistrements : Vincent Bund

© CLE International / SEJER, 2012   ISBN : 9-78-209-038173-3

Le DELF (Diplôme d'études en langue française), sous sa forme actuelle, a été mis en place en septembre 2005. Les anciennes unités capitalisables ayant à cette date disparu, le terme de DELF ou de DALF désigne désormais un diplôme. On distingue ainsi, dans l'ordre, les diplômes tous publics suivants : DELF A1, DELF A2, DELF B1, DELF B2, DALF C1, DALF C2.

Ces diplômes, ainsi que leurs noms en font état, correspondent aux échelles de niveaux du Cadre européen commun de référence (CECR). Ils sont constitués d'épreuves orales et écrites, organisées sous forme de tâches, semblables à celles que tout un chacun peut avoir à réaliser au quotidien. Leur obtention atteste officiellement d'un niveau de connaissance en langue française.

Le niveau B1 du Cadre européen commun de référence correspond au niveau seuil. Il évalue une compétence d'« utilisateur indépendant » qui « peut comprendre les points essentiels quand un langage clair et standard est utilisé et s'il s'agit de choses familières dans le travail, à l'école, dans les loisirs [...] ». Le locuteur « peut se débrouiller dans la plupart des situations rencontrées en voyage dans une région où la langue cible est parlée. » Il « peut produire un discours simple et cohérent sur des sujets familiers et dans ses domaines d'intérêt ». (*CECR*, page 25)

ABC DELF B1 correspond à un enseignement de 200 à 350 heures d'enseignement selon le contexte et le rythme d'enseignement. Son objectif est de préparer aux épreuves du DELF B1 décrites dans le tableau de la page 4, grâce à **50** activités d'entraînement par compétence, soit **200** activités pour l'ensemble de l'ouvrage, sans compter les épreuves types proposées à la fin du manuel.

L'entraînement aux quatre compétences est organisé de la même façon, en quatre temps :
- ***A comme... aborder***, permet au futur candidat/à la future candidate de découvrir en quoi consiste l'épreuve, et de recevoir des conseils pour la réaliser du mieux possible ;
- ***B comme... brancher***, lui propose de réaliser une première activité, semblable à celle de l'épreuve ;
- ***C comme... contrôler***, l'invite à s'autoévaluer à l'aide des corrigés et propositions de production mais aussi à l'aide des grilles d'évaluation propres à la production orale ou écrite avec lesquelles il sera évalué lors de l'examen ;
- ***D comme... DELF***, l'invite enfin à s'entraîner avec les 49 autres activités que propose chaque compétence.

À la suite, des **épreuves types** sont ajoutées pour chacune des compétences, offrant au futur candidat/à la future candidate la possibilité de se placer dans une situation de passation du DELF B1.

Des « **Petits plus** » de grammaire et de lexique permettent enfin de préciser à l'utilisateur/ utilisatrice quels éléments il lui faut acquérir pour comprendre et s'exprimer sans trop de difficultés, mais aussi pour l'aider à corriger ses erreurs.

La réflexion menée, jointe aux conseils et à l'entraînement proposés, devraient permettre au futur candidat/à la future candidate d'aborder les épreuves du DELF B1 dans de bonnes conditions et d'atteindre le résultat souhaité, l'obtention de ce diplôme.

Les auteures

DELF B1

(NIVEAU B1 DU CADRE EUROPÉEN COMMUN DE RÉFÉRENCE POUR LES LANGUES)

DELF B1 : NATURE DES ÉPREUVES	DURÉE	NOTE SUR
Compréhension de l'oral Réponse à des questionnaires de compréhension portant sur 3 documents enregistrés (2 écoutes). *Durée maximale des documents : 6 minutes.*	0 h 25 (environ)	25
Compréhension des écrits Réponse à des questionnaires de compréhension portant sur 2 documents écrits : - dégager des informations utiles par rapport à une tâche donnée, - analyser le contenu d'un document d'intérêt général.	0 h 35	25
Production écrite Expression d'une attitude personnelle sur un thème général (essai, courrier, article...).	0 h 45	25
Production orale Épreuve en 3 parties : - entretien dirigé ; - exercice en interaction ; - expression d'un point de vue à partir d'un document déclencheur.	0 h 15 environ (préparation : 0 h 10 – ne concerne que la 3e partie de l'épreuve)	25

Durée totale des épreuves collectives : 1 h 45.

> **Note totale sur 100**
> **Seuil de réussite : 50 / 100**
> **Note minimale requise : 05 / 25**

Sommaire

Compréhension de l'ORAL

Compréhension des ÉCRITS

Production ORALE

Production ÉCRITE

Épreuves TYPES

Les « Petits PLUS »

Compréhension de l'ORAL

Description de l'épreuve

L'épreuve de compréhension de l'oral consiste à répondre à des questionnaires de compréhension portant sur trois documents sonores.

D'une durée totale maximale de **6 minutes**, les **trois enregistrements** correspondent à des situations différentes. Il peut s'agir de l'audition :
 – d'une interaction entre locuteurs natifs ;
 – d'un document en tant qu'auditeur ;
 – d'annonces et d'instructions orales ;
 – d'émissions de radio et d'enregistrements.

Le travail, pour chaque document, comporte cinq étapes :
 – la lecture des questions ;
 – une première écoute du document ;
 – une pause pour un début de réponse aux questions ;
 – une deuxième écoute du document ;
 – une deuxième pause pour compléter les réponses.

Les temps de lecture et de pause varient en fonction de la difficulté et de la durée des documents : de 30 secondes à une minute pour la lecture des questions, 30 secondes à trois minutes (s'il est nécessaire de rédiger des phrases) pour la première pause, et une à deux minutes pour la deuxième pause.

Ces étapes et leur durée sont indiquées au début de l'épreuve, sur la feuille de réponse et sur l'enregistrement. L'annonce peut être :
Vous allez entendre trois documents sonores correspondant à des situations différentes.
Vous aurez :
 – 30 secondes pour lire les questions ;
 – une première écoute puis 30 secondes de pause pour commencer à répondre aux questions ;
 – une deuxième écoute puis une minute de pause pour compléter vos réponses.
Répondez aux questions en cochant la bonne réponse ☒ ou en écrivant l'information demandée.
Si une activité fait l'objet de durées différentes, elles sont précisées avant l'activité elle-même.

Conseils

• Veillez à ce que tout soit écrit à l'encre, une réponse au crayon étant nulle.

• Vérifiez qu'il n'y a aucun doute sur la réponse donnée : ne cochez pas deux réponses si une seule est demandée.

• Écrivez lisiblement les mots ou phrases à noter. Portez une attention particulière à l'orthographe.

• Relisez si possible.

Pour vous aider...

 ● Au moment de la remise de la feuille avec les questionnaires, regardez rapidement en quoi ils consistent : choix multiples, et/ou vrai/faux ou encore phrases à compléter ou à rédiger. Cela permet de mieux se préparer à l'écoute des documents en fonction de la tâche demandée : si l'attention lors de l'écoute est la même, il est plus simple de cocher un item que d'écrire un mot, une expression ou une phrase.
 ● Avant la première écoute, lisez attentivement les questions : elles donnent des indications, des pistes, sur le document.
 ● Pendant la première écoute, cochez seulement les réponses dont vous êtes sûr(e). Dans le cas contraire, soit vous attendez la deuxième écoute pour le faire, soit vous faites une petite marque au crayon qui sera effacée ou « confirmée » par une croix nette à l'encre pendant ou après la deuxième écoute.
 ● Pendant la première pause, cochez ou écrivez nettement à l'encre les réponses sûres.
 ● Pendant la deuxième écoute, centrez votre attention sur les questions sans réponse, essayez de confirmer vos réponses ou complétez-les.
 ● Enfin, pendant la deuxième pause, complétez si nécessaire vos réponses et vérifiez les autres.

B comme... brancher

Pour vous entraîner, réalisez l'activité suivante.

I **Interaction entre locuteurs natifs**

ACTIVITÉ 1

Répondez aux questions en cochant la ou les bonne(s) réponse(s).
(Plusieurs réponses possibles)

1 • **Nadia :**
   a. ☒ a 7 ans
   b. ☐ a 8 ans
   c. ☒ va avoir 8 ans ✓

2 • **StarMyName est le nom d' :**
   a. ☐ un chanteur
   b. ☐ un groupe de chanteurs
   c. ☒ un site internet ✓

3 • **Nadia aime :**
   a. ☐ dessiner
   b. ☐ lire
   c. ☒ chanter ✓

4 • **Les albums de StarMyName :**
   a. ☒ sont personnalisés
   b. ☐ sont tous les mêmes
   c. ☒ comportent dix chansons

5 • **Le créateur du site a déjà enregistré :**
   a. ☐ 5 000 chansons
   b. ☐ 6 000 chansons
   c. ☒ 7 000 chansons ✓

6 • **On peut commander :**
   a. ☐ des livres de contes
   b. ☒ des cartes d'invitation
   c. ☒ des albums de chansons ✓

Évaluez vos réponses à la page suivante.

C comme... contrôler la compréhension de l'oral

Grilles de correction

Les grilles de correction des activités sont les corrigés de celles-ci.

Lors de l'examen, chaque réponse est notée.

La compréhension de l'oral est notée sur **25 points**, ces points étant **répartis entre les trois activités**.

Proposition de correction

I Interaction entre locuteurs natifs

ACTIVITÉ 1

Pour l'activité que vous venez de réaliser, avez-vous coché ces réponses ?

1 • Nadia :
    a. X a 7 ans
    b. ☐ a 8 ans
    c. X va avoir 8 ans
	4 • Les albums de StarMyName :
	    a. X sont personnalisés
	    b. ☐ sont tous les mêmes
	    c. X comportent dix chansons

2 • StarMyName est le nom d' :
    a. ☐ un chanteur
    b. ☐ un groupe de chanteurs
    c. X un site internet
	5 • Le créateur du site a déjà enregistré :
	    a. ☐ 5 000 chansons
	    b. ☐ 6 000 chansons
	    c. X 7 000 chansons

3 • Nadia aime :
    a. ☐ dessiner
    b. ☐ lire
    c. X chanter
	6 • On peut commander :
	    a. ☐ des livres de contes
	    b. X des cartes d'invitation
	    c. X des albums de chansons

Si ce n'est pas le cas, voici quelques commentaires vous permettant de mieux évaluer vos erreurs.

1 • **Nadia :**
    a. X a 7 ans
    b. ☐ a 8 ans   ◀ *Non, pas encore ! Elle a bientôt 8 ans, elle a donc 7 ans !*
    c. X va avoir 8 ans

2 • **StarMyName est le nom d' :**
    a. ☐ un chanteur
    b. ☐ un groupe de chanteurs
    c. X un site internet   ◀ *Tu vas sur le site de "StarMyName".*

3 • **Nadia aime :**
    a. ☐ dessiner
    b. ☐ lire
    c. X chanter   ◀ *La tante ne nie pas ce que dit son amie : "Elle aime chanter, je crois ?"*

4 • **Les albums de StarMyName :**
    a. X sont personnalisés
    b. ☐ sont tous les mêmes   ◀ *Vous entendez : "10 chansons personnalisées".*
    c. X comportent dix chansons

5 • **Le créateur du site a déjà enregistré :**
    a. ☐ 5 000 chansons
    b. ☐ 6 000 chansons
    c. X 7 000 chansons   ◀ *700 prénoms et 10 chansons par album, soit 7 000 chansons !*

6 • **On peut commander :**
    a. ☐ des livres de contes
    b. X des cartes d'invitation   ◀ *Vous entendez : "faire imprimer des cartes d'invitation".*
    c. X des albums de chansons   ◀ *Vous entendez : "Je vais commander un album".*

||||||||||||| **I** **Interaction entre locuteurs natifs** ||||||||||||||||||||||||||||||||||||||||||||||||||||||||||||||||||||||||||||||||||||||||||

ACTIVITÉ 2

Répondez aux questions en cochant (X) la bonne réponse. |||||||||||||||||||||||||||||||||||||||||||||||||||||||||||||||||||

1 • Jacqueline a fait du qi gong.
   ❑ Vrai   ☒ Faux   ❑ On ne sait pas

2 • Quand on fait du qi gong, on bouge moins.
   ❑ Vrai   ❑ Faux   ❑ On ne sait pas

3 • L'urban training est un sport d'équipe.
   ❑ Vrai   ❑ Faux   ❑ On ne sait pas

4 • L'inscription à l'urban training est chère.
   ❑ Vrai   ❑ Faux   ❑ On ne sait pas

5 • Il faut être très expérimenté pour faire de l'urban training.
   ❑ Vrai   ❑ Faux   ❑ On ne sait pas

6 • La séance dure environ une heure.
   ❑ Vrai   ☒ Faux   ❑ On ne sait pas

7 • Les mouvements s'effectuent en fonction de l'environnement urbain.
   ❑ Vrai   ❑ Faux   ❑ On ne sait pas

8 • Une séance comporte 4 étapes.
   ❑ Vrai   ❑ Faux   ❑ On ne sait pas

9 • L'urban training demande un équipement spécial.
   ❑ Vrai   ❑ Faux   ❑ On ne sait pas

10 • Il faut boire au moins un litre d'eau pendant la séance.
   ❑ Vrai   ❑ Faux   ❑ On ne sait pas

ACTIVITÉ 3

Répondez brièvement avec les mots du document sonore. |||||||||||||||||||||||||||||||||||||||||||||||||||||||||||

1 • Qu'est-ce qu'une arnaque ? ....

2 • Qui sont les principales victimes des arnaques ? ....

3 • Pourquoi ces personnes sont-elles si souvent victimes ? Elles sont ....

4 • Quels sont les deux types d'arnaques cités ?
   a. Les voleurs se font passer pour des .... ou des ....
   b. Ils leur proposent de faire des .... chez eux.

5 • Que peuvent faire les futures victimes ?
   a. téléphoner au ....
   b. demander .... et .... à la personne.

6 • Que peuvent faire ces personnes pour réduire les risques d'arnaque ?
   Elles peuvent :
   a. rester en relation avec .... et ....
   b. faire partie d'... .

ACTIVITÉ 4

Répondez aux questions en cochant (X) la (ou les) bonne(s) réponse(s).
(Plusieurs réponses possibles)

1 ● **Madame Bonnefoy va chez le médecin :**
   a. parce qu'elle dort mal
   b. pour lui demander des médicaments
   c. parce qu'elle se sent fatiguée
   d. parce qu'elle a toujours envie de dormir

2 ● **Madame Bonnefoy :**
   a. explique au médecin ce qu'est la luminothérapie
   b. demande des précisions sur la luminothérapie
   c. voudrait essayer la luminothérapie
   d. voudrait aller dans un centre de luminothérapie

3 ● **Madame Bonnefoy :**
   a. manque d'appétit
   b. souffre de dépression saisonnière
   c. souffre de la maladie du sommeil
   d. souffre d'empoisonnement par les médicaments

4 ● **Cette maladie est fréquente :**
   a. au Mozambique
   b. en Amérique
   c. au Mexique
   d. dans les pays nordiques

5 ● **La luminothérapie est efficace parce qu'elle :**
   a. simule le soleil
   b. complète les médicaments
   c. n'agit pas sur le sommeil
   d. réduit le manque de soleil

6 ● **La luminothérapie nécessite une lampe :**
   a. de 500 lux minimum
   b. de 1 500 lux minimum
   c. placée à 40 cm de la personne
   d. avec des filtres contre les mauvais rayons

ACTIVITÉ 5

Répondez aux questions en cochant (X) la bonne réponse.

1 ● **Une AMAP est une association pour le maintien de l'agriculture paysanne.**
   ☐ Vrai   ☐ Faux   ☐ On ne sait pas

2 ● **Certaines AMAP regroupent plusieurs producteurs agricoles.**
   ☐ Vrai   ☐ Faux   ☐ On ne sait pas

3 ● **Seuls certains consommateurs peuvent faire partie d'une AMAP.**
   ☐ Vrai   ☐ Faux   ☐ On ne sait pas

4 ● **Chaque consommateur membre de l'AMAP achète une partie de la production de l'agriculteur.**
   ☐ Vrai   ☐ Faux   ☐ On ne sait pas

5 ● **Les membres de l'AMAP peuvent payer leur part sous forme d'échange d'heures de travail.**
   ☐ Vrai   ☐ Faux   ☐ On ne sait pas

6 ● **Les membres de l'AMAP peuvent choisir leurs produits.**
   ☐ Vrai   ☐ Faux   ☐ On ne sait pas

7 ● **Les consommateurs sont sûrs d'avoir des produits frais.**
   ☐ Vrai   ☐ Faux   ☐ On ne sait pas

8 ● **Le fermier peut vendre une partie de sa production à des commerces d'alimentation.**
   ☐ Vrai   ☐ Faux   ☐ On ne sait pas

D comme... DELF

//

ACTIVITÉ 6

Répondez aux questions avec les chiffres du document sonore. ////////////////////////

1 • Combien y a-t-il eu de touristes en France en 2010 ? _____

2 • Combien Disneyland Paris a-t-il eu de visiteurs en 2010 ? _____

3 • Parmi les dix sites les plus visités, combien y a-t-il :

    a. de monuments ? _____

    b. de palais ? _____

    c. de musées ? _____

    d. de parcs d'attraction ? _____

4 • Quelle est la place de chaque site parmi les dix les plus visités ?

    – L'Arc de Triomphe → _____   – Le Louvre → _____

    – Le Centre Pompidou → _____   – Le musée d'Orsay → _____

    – La Cité des sciences → _____   – Le Parc Astérix → _____

    – Disneyland Paris → _____   – La Tour Eiffel → _____

    – Le Futuroscope → _____   – Versailles → _____

ACTIVITÉ 7

Répondez aux questions en cochant (X) la bonne réponse. ////////////////////////

1 • Les Vergers de Gally fournissent :
    a. ☐ 5 fruits et légumes par jour
    b. ☐ des fruits
    c. ☐ des légumes

2 • Les corbeilles sont livrées :
    a. ☐ chez le directeur de l'entreprise
    b. ☐ chez le concierge de l'entreprise
    c. ☐ directement dans l'entreprise

3 • Les fruits proviennent :
    a. ☐ de vergers
    b. ☐ des halles
    c. ☐ de toute la France

4 • Les corbeilles sont livrées :
    a. ☐ dans des cageots
    b. ☐ sur un présentoir
    c. ☐ sur des assiettes

5 • Dans les corbeilles, il y a :
    a. ☐ des fruits de saison
    b. ☐ toujours des pommes
    c. ☐ jamais de fraises ni d'oranges

6 • La corbeille contient :
    a. ☐ 8 kilos de fruits
    b. ☐ 12 kilos de fruits
    c. ☐ de 8 à 12 kilos de fruits

7 • Les Vergers de Gally soutiennent :
    a. ☐ la recherche contre le cancer
    b. ☐ le bien-être des salariés
    c. ☐ le projet « 5 fruits et légumes par jour »

8 • Consommer des fruits au bureau :
    a. ☐ permet plus de convivialité
    b. ☐ permet plus de bavardages
    c. ☐ permet plus de temps perdu

ACTIVITÉ 8

Répondez aux questions en cochant (X) la bonne réponse.

1 • On met les déchets recyclables dans le sac noir.
❏ Vrai ❏ Faux ❏ On ne sait pas

2 • Madame Dupré réutilise les sacs des hypermarchés.
❏ Vrai ❏ Faux ❏ On ne sait pas

3 • Madame Dupré ne fait jamais de brouillons.
❏ Vrai ❏ Faux ❏ On ne sait pas

4 • Madame Dupré n'imprime pas tous ses documents.
❏ Vrai ❏ Faux ❏ On ne sait pas

5 • Madame Dupré préfère utiliser des lingettes.
❏ Vrai ❏ Faux ❏ On ne sait pas

6 • Madame Dupré préfère acheter des articles rechargeables.
❏ Vrai ❏ Faux ❏ On ne sait pas

7 • Madame Dupré achète toujours en grand format.
❏ Vrai ❏ Faux ❏ On ne sait pas

8 • Madame Dupré achète ses vêtements et ses meubles dans les brocantes.
❏ Vrai ❏ Faux ❏ On ne sait pas

ACTIVITÉ 9

Répondez aux questions en cochant (X) la bonne réponse.

1 • Où l'année 2011 a-t-elle été décrétée « année du métal » ?
a. ❏ Dans toute la France
b. ❏ À Vichy seulement
c. ❏ Dans trois communes de l'Allier

2 • L'objectif est de parvenir à recycler :
a. ❏ 1,95 kg de métal par habitant
b. ❏ 2 kg de métal par habitant
c. ❏ 1,15 kg de métal par habitant

3 • Avant de mettre les boîtes dans le sac jaune, il faut :
a. ❏ les vider et les nettoyer
b. ❏ les écraser
c. ❏ seulement bien les vider

4 • L'acier recyclé provient :
a. ❏ à 15 % du tri sélectif
b. ❏ à 30 % du tri sélectif
c. ❏ à 20 % du tri sélectif

5 • L'acier recyclé provient :
a. ❏ des boîtes de conserve et des canettes
b. ❏ des boîtes de conserve
c. ❏ des canettes

6 • L'acier d'une canette est recyclable à :
a. ❏ 54 %
b. ❏ 100 %
c. ❏ 90 %

7 • L'acier des canettes est réutilisé pour fabriquer :
a. ❏ toutes sortes d'autres produits
b. ❏ seulement d'autres canettes
c. ❏ seulement des canettes et des boîtes

8 • Recycler le métal permet de :
a. ❏ faire plus de bénéfices
b. ❏ préserver les gaz à effet de serre
c. ❏ préserver les ressources naturelles

D comme... DELF

Répondez aux questions en cochant (X) la bonne réponse.

1 • **Le sondage a été réalisé :**
    a. ☐ en août 2006
    b. ☐ en août 2010
    c. ☐ en août 2011

2 • **Le magret de canard est le plat préféré de :**
    a. ☐ 19 % des Français
    b. ☐ 20 % des Français
    c. ☐ 21 % des Français

3 • **Les moules frites est le plat préféré de :**
    a. ☐ 19 % des Français
    b. ☐ 20 % des Français
    c. ☐ 21 % des Français

4 • **Le couscous est le plat préféré de :**
    a. ☐ 19 % des Français
    b. ☐ 20 % des Français
    c. ☐ 21 % des Français

5 • **La blanquette de veau se place :**
    a. ☐ juste avant le couscous
    b. ☐ juste après le couscous
    c. ☐ entre le couscous et les moules frites

6 • **Les hommes préfèrent :**
    a. ☐ le gigot
    b. ☐ la côte de bœuf
    c. ☐ le magret

7 • **Les femmes préfèrent :**
    a. ☐ le pavé de saumon
    b. ☐ le magret
    c. ☐ le gigot

8 • **Dans le Nord et dans l'Est de la France, les plats régionaux :**
    a. ☐ arrivent toujours en tête des classements
    b. ☐ se placent loin derrière d'autres plats
    c. ☐ ne se trouvent qu'à la deuxième place

Répondez aux questions en cochant (X) la bonne réponse.

1 • **Quand on s'embrasse en France, on commence en général :**
    a. ☐ par la joue gauche
    b. ☐ par la joue droite
    c. ☐ ça n'a pas d'importance

2 • **Dans l'Est, on se fait :**
    a. ☐ 2 bises
    b. ☐ 3 bises
    c. ☐ 4 bises

3 • **On se fait une bise :**
    a. ☐ dans la région de Crest
    b. ☐ dans la région de Brest
    c. ☐ dans la région de La Preste

4 • **On embrasse les enfants quand :**
    a. ☐ ils se sont fait un « petit bobo »
    b. ☐ ils ont fait un « petit dodo »
    c. ☐ ils ont fait un « petit rondo »

5 • **On s'embrasse sous le gui :**
    a. ☐ à la Noël
    b. ☐ au nouvel an
    c. ☐ quand on veut

ACTIVITÉ 12

Répondez aux questions en cochant (X) la bonne réponse.

1 • La majorité des volontaires de l'association « Passerelles et Compétences » n'a pas d'activité professionnelle.
☐ Vrai   ☐ Faux   ☐ On ne sait pas

2 • Le « bénévolat de compétences » signifie que l'on n'est pas payé pour le travail fourni.
☐ Vrai   ☐ Faux   ☐ On ne sait pas

3 • Les domaines les plus recherchés sont l'informatique, la communication et le marketing.
☐ Vrai   ☐ Faux   ☐ On ne sait pas

4 • L'association « Voisin-Âge » est une communauté sur le web.
☐ Vrai   ☐ Faux   ☐ On ne sait pas

5 • L'association « Voisin-Âge » est un site de rencontres pour personnes âgées.
☐ Vrai   ☐ Faux   ☐ On ne sait pas

6 • L'association « Voisin-Âge » prépare les repas pour les personnes âgées du quartier.
☐ Vrai   ☐ Faux   ☐ On ne sait pas

7 • L'association « Les Tribus du 13 » est réservée aux habitants du 13e arrondissement.
☐ Vrai   ☐ Faux   ☐ On ne sait pas

8 • L'association n'est pas présente sur le web.
☐ Vrai   ☐ Faux   ☐ On ne sait pas

9 • L'association ne propose que du baby-sitting.
☐ Vrai   ☐ Faux   ☐ On ne sait pas

ACTIVITÉ 13

Répondez aux questions en cochant (X) la bonne réponse.

1 • La scène se passe dans le métro.
☐ Vrai   ☐ Faux   ☐ On ne sait pas

2 • Les deux dames constatent que la politesse se perd seulement dans les transports.
☐ Vrai   ☐ Faux   ☐ On ne sait pas

3 • Les incivilités ont fait l'objet d'une campagne publicitaire.
☐ Vrai   ☐ Faux   ☐ On ne sait pas

4 • Une des incivilités les plus dénoncées est l'utilisation abusive des téléphones portables.
☐ Vrai   ☐ Faux   ☐ On ne sait pas

5 • Les téléphones et les baladeurs dérangent surtout la maman de Thomas.
☐ Vrai   ☐ Faux   ☐ On ne sait pas

6 • La dame âgée pense que les gens font toujours preuve de solidarité.
☐ Vrai   ☐ Faux   ☐ On ne sait pas

D comme... DELF

II **Comprendre en tant qu'auditeur**

ACTIVITÉ 1

Répondez aux questions en cochant (X) la bonne réponse.

1 • « The Artist » est un film :
   a. ☐ en 3D
   b. ☐ en couleurs
   c. ☐ en noir et blanc

2 • La maquilleuse joue un rôle :
   a. ☐ très important
   b. ☐ peu important
   c. ☐ pas important

3 • La partenaire de Jean Dujardin s'appelle :
   a. ☐ Béatrice Béjo
   b. ☐ Bérénice Béjo
   c. ☐ Bérénice Majo

4 • La vedette du cinéma muet s'appelle :
   a. ☐ Georges Dandin
   b. ☐ Georges Valentin
   c. ☐ Georges Danton

5 • Dans le film, il est question :
   a. ☐ de déchéance
   b. ☐ de créance
   c. ☐ de gérance

6 • Le film fait :
   a. ☐ du sien
   b. ☐ du chien
   c. ☐ du bien

ACTIVITÉ 2

Répondez aux questions en cochant (X) la bonne réponse.

1 • Le repas gastronomique français est inscrit
   au patrimoine culturel immatériel de l'humanité :
   a. ☐ par Nestlé
   b. ☐ par l'Unesco
   c. ☐ par Lumbroso

2 • La transmission passe :
   a. ☐ par Picassiette
   b. ☐ par la ramassette
   c. ☐ par l'assiette

3 • La transmission passe :
   a. ☐ de mère en fille
   b. ☐ de père en fille
   c. ☐ de mère en fils

4 • Érik Orsenna prépare du bœuf mode :
   a. ☐ surgelé
   b. ☐ en gelée
   c. ☐ dégelé

5 • La cuisine est un élément qui :
   a. ☐ ressemble
   b. ☐ rassemble
   c. ☐ assemble

6 • Les enfants raffolent de :
   a. ☐ collation
   b. ☐ traduction
   c. ☐ tradition

ACTIVITÉ 3

Répondez aux questions en cochant (X) la bonne réponse.

1 • Le tourisme vert est motivé par :
   a. ☐ la recherche du calme
   b. ☐ la recherche du bonheur
   c. ☐ la recherche des contacts humains

2 • Le tourisme bleu est orienté :
   a. ☐ vers le ciel bleu
   b. ☐ vers l'eau
   c. ☐ vers les piscines

4 • Le tourisme gris est plus sensible :
   a. ☐ à l'authentique
   b. ☐ à l'artificiel
   c. ☐ à la grisaille

3 • Le tourisme blanc recherche :
   a. ☐ les neiges éternelles
   b. ☐ les sports d'hiver
   c. ☐ la pureté de l'air

5 ● Le tourisme jaune est motivé :
   a. ☐ par le soleil
   b. ☐ par la plage
   c. ☐ par le sable des déserts

6 ● Le tourisme multicolore est celui :
   a. ☐ des espaces verts
   b. ☐ des passionnés d'arcs-en-ciel
   c. ☐ des circuits

ACTIVITÉ 4

Répondez aux questions en cochant (X) la bonne réponse.

1 ● L'étiquette verte est :
   a. ☐ une étiquette de couleur verte
   b. ☐ une étiquette recyclable
   c. ☐ une étiquette de marque

2 ● L'étiquette verte est appliquée :
   a. ☐ sur tous les produits
   b. ☐ sur tous les produits de nettoyage
   c. ☐ sur certains produits

3 ● Cette opération est :
   a. ☐ expérimentale
   b. ☐ définitive
   c. ☐ abusive

4 ● Les critères :
   a. ☐ sont les mêmes pour tous les produits
   b. ☐ varient selon les produits
   c. ☐ sont différents selon les enseignes

5 ● L'étiquette verte chiffre l'impact de l'ensemble du cycle de vie d'un produit :
   a. ☐ sur trente points clés
   b. ☐ sur trois points clés
   c. ☐ sur treize points clés

6 ● Plus le chiffre des indices est faible :
   a. ☐ plus l'impact sur l'environnement est neutre
   b. ☐ plus l'impact sur l'environnement est fort
   c. ☐ plus l'impact sur l'environnement est réduit

ACTIVITÉ 5

Répondez aux questions en cochant (X) la bonne réponse.

1 ● L'usine de La Hague est un centre de retraitement de déchets radioactifs.
   ☐ Vrai   ☐ Faux   ☐ On ne sait pas

2 ● La Hague est située en Haute-Normandie.
   ☐ Vrai   ☐ Faux   ☐ On ne sait pas

3 ● L'usine produit encore du plutonium à des fins militaires.
   ☐ Vrai   ☐ Faux   ☐ On ne sait pas

4 ● Les produits traités sont stockés en France.
   ☐ Vrai   ☐ Faux   ☐ On ne sait pas

5 ● La construction du réacteur EPR sera achevée en 2016.
   ☐ Vrai   ☐ Faux   ☐ On ne sait pas

6 ● Les ouvriers du chantier parlent très bien français.
   ☐ Vrai   ☐ Faux   ☐ On ne sait pas

ACTIVITÉ 6

Répondez aux questions en cochant (X) la bonne réponse.

1 • Le document parle d'un musée ambulant.
   ❑ Vrai   ❑ Faux   ❑ On ne sait pas

2 • L'entrée est payante.
   ❑ Vrai   ❑ Faux   ❑ On ne sait pas

3 • On peut y découvrir des œuvres du Centre Pompidou.
   ❑ Vrai   ❑ Faux   ❑ On ne sait pas

4 • Il a ouvert ses portes le 10 octobre.
   ❑ Vrai   ❑ Faux   ❑ On ne sait pas

5 • Les visites sont réservées aux collégiens.
   ❑ Vrai   ❑ Faux   ❑ On ne sait pas

6 • Le thème de l'exposition est la couleur rouge.
   ❑ Vrai   ❑ Faux   ❑ On ne sait pas

7 • Le président du centre Pompidou s'appelle Alain Souchon.
   ❑ Vrai   ❑ Faux   ❑ On ne sait pas

ACTIVITÉ 7

Répondez aux questions en cochant (X) la bonne réponse.

1 • La grotte Chauvet doit son nom :
   a. ❑ à celui qui l'a découverte
   b. ❑ à celui qui y a habité
   c. ❑ à celui qui l'a construite

2 • On pourra y admirer :
   a. ❑ des fleurs
   b. ❑ des animaux
   c. ❑ des plantes

3 • Un fac-similé est :
   a. ❑ une photographie
   b. ❑ une reproduction
   c. ❑ un original

4 • La grotte se situe au-dessus de :
   a. ❑ l'Ardèche
   b. ❑ l'arpège
   c. ❑ l'archet

5 • Il s'agit d'un projet :
   a. ❑ artistique
   b. ❑ fantastique
   c. ❑ touristique

6 • Le film de Roman Herzog s'intitule :
   a. ❑ *À la recherche du temps perdu*
   b. ❑ *À la recherche du chevalier perdu*
   c. ❑ *La Grotte des rêves perdus*

ACTIVITÉ 8

Répondez aux questions en cochant (X) la bonne réponse.

1. ● Le Cadre Noir se trouve à :
   a. ☐ Namur
   b. ☐ Saumur
   c. ☐ Sémur

2. ● La liste du patrimoine culturel immatériel de l'humanité compte :
   a. ☐ 213 traditions du monde
   b. ☐ 216 traditions du monde
   c. ☐ 313 traditions du monde

3. ● L'inscription a été demandée par :
   a. ☐ les autorités hollandaises
   b. ☐ les autorités françaises
   c. ☐ les autorités anglaises

4. ● L'équitation de tradition française met en harmonie :
   a. ☐ les relations entre l'homme et le cheval
   b. ☐ les relations entre les chevaux
   c. ☐ les relations entre les hommes

5. ● L'homme respecte :
   a. ☐ l'humus du cheval
   b. ☐ l'humour du cheval
   c. ☐ l'humeur du cheval

6. ● La candidature de la porcelaine de Limoges :
   a. ☐ a été retenue
   b. ☐ a été refusée
   c. ☐ a été retirée

ACTIVITÉ 9

Répondez aux questions en cochant (X) la bonne réponse.

1. ● Beaucoup de vétérinaires soignent les animaux par l'homéopathie.
   ☐ Vrai   ☐ Faux   ☐ On ne sait pas

2. ● L'homéopathie n'est pas reconnue.
   ☐ Vrai   ☐ Faux   ☐ On ne sait pas

3. ● La médecine homéopathique utilise des prescriptions standardisées.
   ☐ Vrai   ☐ Faux   ☐ On ne sait pas

4. ● L'homéopathie peut soigner les allergies chez les chats.
   ☐ Vrai   ☐ Faux   ☐ On ne sait pas

5. ● Les produits homéopathiques ne génèrent pas de toxines.
   ☐ Vrai   ☐ Faux   ☐ On ne sait pas

6. ● Une consultation chez un vétérinaire spécialisé en homéopathie coûte moins cher.
   ☐ Vrai   ☐ Faux   ☐ On ne sait pas

D comme... DELF

///

ACTIVITÉ 10

Répondez aux questions en cochant (X) la bonne réponse. //

1 • Dans son livre, David Foenkinos parle de sa propre famille.
   ❑ Vrai   ❑ Faux   ❑ On ne sait pas

2 • Le grand-père était très malade.
   ❑ Vrai   ❑ Faux   ❑ On ne sait pas

3 • Le grand-père n'était pas conscient de son état.
   ❑ Vrai   ❑ Faux   ❑ On ne sait pas

4 • Son petit-fils n'a pas pu lui dire qu'il l'aimait.
   ❑ Vrai   ❑ Faux   ❑ On ne sait pas

5 • Le narrateur veut écrire une lettre à son grand-père.
   ❑ Vrai   ❑ Faux   ❑ On ne sait pas

6 • David Foenkinos a écrit *La Délicatesse* avec son frère.
   ❑ Vrai   ❑ Faux   ❑ On ne sait pas

ACTIVITÉ 11

Répondez aux questions en cochant (X) la bonne réponse. //

1 • L'environnement est un secteur porteur.
   ❑ Vrai   ❑ Faux   ❑ On ne sait pas

2 • L'environnement offre des emplois durables.
   ❑ Vrai   ❑ Faux   ❑ On ne sait pas

3 • On trouve un verdissement des métiers dans l'agriculture.
   ❑ Vrai   ❑ Faux   ❑ On ne sait pas

4 • Les jeunes espèrent observer les animaux.
   ❑ Vrai   ❑ Faux   ❑ On ne sait pas

5 • Il y a beaucoup de postes disponibles dans le développement durable.
   ❑ Vrai   ❑ Faux   ❑ On ne sait pas

6 • Il est obligatoire de faire du bénévolat pendant ses études.
   ❑ Vrai   ❑ Faux   ❑ On ne sait pas

ACTIVITÉ 12

Répondez aux questions en cochant (X) la bonne réponse.

1 • En six ans, l'inégalité entre les patrimoines des Français est devenue plus grande.
   ❑ Vrai   ❑ Faux   ❑ On ne sait pas

2 • La différence entre la fortune du 1/10ᵉ des plus riches et du 1/10ᵉ des moins riches
   a augmenté de 10 %.
   ❑ Vrai   ❑ Faux   ❑ On ne sait pas

3 • En 2009, le salaire des plus riches était un peu plus de 4 fois supérieur au salaire des moins riches.
   ❑ Vrai   ❑ Faux   ❑ On ne sait pas

4 • 50 % des Français ont 16 % du patrimoine brut total.
   ❑ Vrai   ❑ Faux   ❑ On ne sait pas

5 • Les Français les plus riches ont plus de 69 ans.
   ❑ Vrai   ❑ Faux   ❑ On ne sait pas

6 • Le nombre des Français les plus riches augmente de 20 % chaque année.
   ❑ Vrai   ❑ Faux   ❑ On ne sait pas

7 • Le patrimoine des plus riches est en moyenne de 359 000 €.
   ❑ Vrai   ❑ Faux   ❑ On ne sait pas

8 • 40 % des ménages sont propriétaires de leur logement ou vont l'être.
   ❑ Vrai   ❑ Faux   ❑ On ne sait pas

ACTIVITÉ 13

Répondez aux questions en cochant (X) la bonne réponse.

1 • La fraude à la carte bancaire touche 20 % des Français.
   ❑ Vrai   ❑ Faux   ❑ On ne sait pas

2 • Au cours des cinq dernières années, le phishing a touché seulement une partie des victimes
   de la fraude à la carte bancaire.
   ❑ Vrai   ❑ Faux   ❑ On ne sait pas

3 • Le phishing consiste à voler les identifiants bancaires de quelqu'un.
   ❑ Vrai   ❑ Faux   ❑ On ne sait pas

4 • Les cybercriminels préfèrent toujours utiliser les mêmes pièges.
   ❑ Vrai   ❑ Faux   ❑ On ne sait pas

5 • Près de 20 300 escroqueries ont été signalées en 2010.
   ❑ Vrai   ❑ Faux   ❑ On ne sait pas

6 • La vente d'objets de particulier à particulier fait l'objet de peu d'escroqueries.
   ❑ Vrai   ❑ Faux   ❑ On ne sait pas

7 • Les personnes qui achètent en ligne rencontrent en général le vendeur.
   Vrai ❑   Faux ❑   On ne sait pas ❑

8 • Il y a aussi des arnaques aux sentiments.
   ❑ Vrai   ❑ Faux   ❑ On ne sait pas

D comme... DELF

Complétez les phrases avec les mots et les chiffres du document sonore.

1 • En 2010, ... des salariés se disaient heureux au travail.

2 • En 2011, ... des salariés étaient moins motivés au travail.

3 • Un peu plus du quart des salariés éprouvent un manque de ....

4 • Pour .... des salariés, la démotivation est due au faible montant de leur rémunération.

5 • Depuis 2007, les .... sont de plus en plus démotivés.

6 • .... des salariés sont satisfaits de leur pouvoir d'achat.

7 • Dans les .... et .... entreprises, les salariés sont plus heureux au travail.

8 • Les salariés des .... n'hésitent pas à changer de travail.

Répondez aux questions en cochant (X) la bonne réponse.

1 • **Les chercheurs sont à la recherche de :**
   a. ☐ nouvelles sources de protéines animales
   b. ☐ nouvelles sources de protéines végétales
   c. ☐ nouvelles sources de protéines minérales

2 • **Dans une centaine de pays, on consomme :**
   a. ☐ plus de 1 250 espèces d'insectes
   b. ☐ plus de 1 350 espèces d'insectes
   c. ☐ plus de 1 750 espèces d'insectes

3 • **Les recherches sont les plus avancées en :**
   a. ☐ Hollande
   b. ☐ Thaïlande
   c. ☐ Nouvelle-Zélande

4 • **Les espèces les plus recherchées sont :**
   a. ☐ les grillons
   b. ☐ les frissons
   c. ☐ les grisons

5 • **Les chercheurs veulent augmenter :**
   a. ☐ la prospérité
   b. ☐ la précarité
   c. ☐ la productivité

6 • **Les insectes pourraient être utilisés :**
   a. ☐ dans les sauces
   b. ☐ dans les soupes
   c. ☐ dans les biscottes

Répondez aux questions en cochant (X) la bonne réponse.

1 • **Le Prix Delluc a été créé en :**
   a. ☐ 1937
   b. ☐ 1837
   c. ☐ 1957

2 • **Louis Delluc était :**
   a. ☐ cinéaste
   b. ☐ journaliste
   c. ☐ écrivain

3 • **Le prix récompense chaque année un film :**
   a. ☐ finlandais
   b. ☐ français
   c. ☐ anglais

4 • **Le sujet du film *Le Havre* est :**
   a. ☐ l'immigration
   b. ☐ l'émigration
   c. ☐ la migration

5 • **Le cireur de chaussures s'appelle :**
   a. ☐ Michel Marx
   b. ☐ Daniel Marx
   c. ☐ Marcel Marx

6 • **Le jeune Africain veut aller :**
   a. ☐ au Havre
   b. ☐ en Angleterre
   c. ☐ en Finlande

ACTIVITÉ 17

Répondez aux questions en cochant (X) la bonne réponse.

1 • La journée internationale de la gentillesse est célébrée tous les ans.
❑ Vrai   ❑ Faux   ❑ On ne sait pas

2 • La gentillesse a une reconnaissance méritée.
❑ Vrai   ❑ Faux   ❑ On ne sait pas

3 • Le contraire de la gentillesse, c'est la méchanceté.
❑ Vrai   ❑ Faux   ❑ On ne sait pas

4 • La gentillesse est une qualité féminine.
❑ Vrai   ❑ Faux   ❑ On ne sait pas

5 • La gentillesse s'exerce quand on veut.
❑ Vrai   ❑ Faux   ❑ On ne sait pas

6 • La gentillesse est une force douce.
❑ Vrai   ❑ Faux   ❑ On ne sait pas

ACTIVITÉ 18

Répondez en cochant la ou les bonne(s) réponse(s).

1 • Dans les entreprises de plus de 50 salariés, les salariés :
a. ❑ aiment beaucoup les réseaux sociaux
b. ❑ détestent les réseaux sociaux
c. ❑ sont favorables aux réseaux sociaux

2 • a. ❑ Près de 20 % des salariés n'utilisent aucun réseau social.
b. ❑ Près de 30 % des salariés n'utilisent aucun réseau social.
c. ❑ Près de 40 % des salariés n'utilisent aucun réseau social.

3 • Selon les comptes des salariés, le classement des réseaux sociaux est le suivant :
a. ❑ 1. Facebook, 2. Twitter, 3. You Tube, 4. Google
b. ❑ 1. Facebook, 2. Google, 3. You Tube, 4. Twitter
c. ❑ 1. Facebook, 2. You Tube, 3. Google, 4. Twitter

4 • À titre professionnel, les salariés qui utilisent les réseaux sociaux le font :
a. ❑ 44 % pour agrandir le cercle de leurs connaissances
b. ❑ 25 % pour chercher un emploi
c. ❑ 44 % pour communiquer avec leurs collègues

5 • Les salariés acceptent :
a. ❑ surtout les demandes de mise en relation de leurs collègues
b. ❑ peu les demandes de mise en relation de leur patron
c. ❑ très peu les demandes de mise en relation de leurs supérieurs

6 • Sur les réseaux sociaux :
a. ❑ 80 % des salariés ont peur de parler de leur employeur
b. ❑ 80 % se montrent prudents
c. ❑ 20 % n'ont pas peur de parler de leur entreprise

III Annonces et instructions orales

ACTIVITÉ 1

Répondez aux questions en cochant (X) la bonne réponse.

1 • Il y aurait moins de vols si les gens se montraient plus prudents.
   ❑ Vrai   ❑ Faux   ❑ On ne sait pas

2 • Il faut surtout faire attention quand il y a beaucoup de monde.
   ❑ Vrai   ❑ Faux   ❑ On ne sait pas

3 • Il est conseillé de coudre les poches arrière des vêtements.
   ❑ Vrai   ❑ Faux   ❑ On ne sait pas

4 • Les vols dans les escalators sont assez fréquents.
   ❑ Vrai   ❑ Faux   ❑ On ne sait pas

5 • Il est conseillé de poser son sac par terre, près de son siège.
   ❑ Vrai   ❑ Faux   ❑ On ne sait pas

6 • Il ne faut pas se montrer trop méfiant.
   ❑ Vrai   ❑ Faux   ❑ On ne sait pas

7 • Où que ce soit, il faut toujours surveiller son sac et ses affaires.
   ❑ Vrai   ❑ Faux   ❑ On ne sait pas

8 • Dans un café ou au restaurant, il faut éviter de laisser son téléphone sur la table.
   ❑ Vrai   ❑ Faux   ❑ On ne sait pas

ACTIVITÉ 2

Répondez aux questions en cochant (X) la bonne réponse.

1 • Vous arrivez en retard à votre rendez-vous à cause des embouteillages.
   ❑ Vrai   ❑ Faux   ❑ On ne sait pas

2 • Vous donnez un tas d'explications.
   ❑ Vrai   ❑ Faux   ❑ On ne sait pas

3 • Vous avez une grosse tache sur votre blouse, vous vous changez avant l'entretien d'embauche.
   ❑ Vrai   ❑ Faux   ❑ On ne sait pas

4 • Les employeurs aiment faire les yeux doux.
   ❑ Vrai   ❑ Faux   ❑ On ne sait pas

5 • Il ne faut pas être parfaite pour trouver un emploi.
   ❑ Vrai   ❑ Faux   ❑ On ne sait pas

6 • Il faut être souriante pour trouver un emploi.
   ❑ Vrai   ❑ Faux   ❑ On ne sait pas

ACTIVITÉ 3

Répondez aux questions en cochant (X) la bonne réponse.

1 • On appelle le lecteur de code-barres « la douchette ».
☐ Vrai ☐ Faux ☐ On ne sait pas

2 • Il est indispensable dans le commerce.
☐ Vrai ☐ Faux ☐ On ne sait pas

3 • L'appareil permet de lire les prix sur les étiquettes.
☐ Vrai ☐ Faux ☐ On ne sait pas

4 • Grâce à cet appareil, on peut taper les prix sur la caisse enregistreuse.
☐ Vrai ☐ Faux ☐ On ne sait pas

5 • L'appareil ne permet pas de gérer les approvisionnements.
☐ Vrai ☐ Faux ☐ On ne sait pas

ACTIVITÉ 4

Répondez aux questions en cochant (X) la bonne réponse.

1 • Christiane Collange parle :
   a. ☐ de sa famille
   b. ☐ des familles nombreuses
   c. ☐ des relations familiales

2 • On appelle « belle-famille » :
   a. ☐ la famille du ou de la partenaire
   b. ☐ la famille d'origine
   c. ☐ les oncles et tantes

3 • Christiane Collange compte :
   a. ☐ 17 familles
   b. ☐ 7 familles
   c. ☐ 4 familles

4 • Les « grandes personnes » ont :
   a. ☐ entre 20 et 40 ans
   b. ☐ entre 70 et 100 ans
   c. ☐ entre 45 et 70 ans

5 • Dans le chapitre « Chacun son rythme, chacun ses goûts », l'auteure parle :
   a. ☐ des horaires de chacun
   b. ☐ des problèmes de chacun
   c. ☐ des désirs de chacun

6 • Le livre de Christiane Collange donne :
   a. ☐ des informations et pas de conseils
   b. ☐ des informations et des conseils
   c. ☐ pas d'informations mais des conseils

ACTIVITÉ 5

Répondez aux questions en cochant (X) la bonne réponse.

1 • On appelle le tir le plus remarquable
et le plus admiré :
  a. ☐ un cadeau
  b. ☐ un carreau
  c. ☐ un gâteau

2 • La pétanque a été inventée :
  a. ☐ à Marseille
  b. ☐ à Aix-en-Provence
  c. ☐ à La Ciotat

3 • Le nom « pétanque » vient de :
  a. ☐ pieds paquets
  b. ☐ pieds tanqués
  c. ☐ pieds plats

4 • Le premier concours officiel
a été organisé en :
  a. ☐ 1810
  b. ☐ 1910
  c. ☐ 1906

5 • Jouer en triplette signifie :
  a. ☐ jouer à trois
  b. ☐ jouer avec trois boules
  c. ☐ jouer trois fois

6 • Le pointeur est :
  a. ☐ le joueur qui lance la première boule
  b. ☐ le joueur qui mesure la distance entre les boules
  c. ☐ le joueur qui boit le pastis

ACTIVITÉ 6

Répondez aux questions en cochant (X) la bonne réponse.

1 • Paul Cézanne est né à Aix-en-Provence.
  ☐ Vrai   ☐ Faux   ☐ On ne sait pas

2 • L'école publique est gratuite.
  ☐ Vrai   ☐ Faux   ☐ On ne sait pas

3 • Cézanne meurt à Paris.
  ☐ Vrai   ☐ Faux   ☐ On ne sait pas

4 • François-Marius Granet était conservateur de musées.
  ☐ Vrai   ☐ Faux   ☐ On ne sait pas

5 • Paul Cézanne a été très apprécié de son vivant.
  ☐ Vrai   ☐ Faux   ☐ On ne sait pas

6 • François-Marius Granet était aussi un artiste-peintre.
  ☐ Vrai   ☐ Faux   ☐ On ne sait pas

7 • La montagne Sainte-Victoire était le motif préféré de Cézanne et de Picasso.
  ☐ Vrai   ☐ Faux   ☐ On ne sait pas

8 • Picasso était un grand admirateur de Cézanne.
  ☐ Vrai   ☐ Faux   ☐ On ne sait pas

9 • Tous les tableaux de Cézanne se trouvent au musée Granet.
  ☐ Vrai   ☐ Faux   ☐ On ne sait pas

Répondez aux questions en cochant (X) la bonne réponse.

1 • **Avec un abonnement :**
  a. ☐ on voyage plus cher
  b. ☐ on voyage moins cher
  c. ☐ on voyage plus souvent

2 • **« L'abonnement est nominatif » signifie :**
  a. ☐ qu'on peut le prêter
  b. ☐ qu'on peut l'emprunter
  c. ☐ qu'on ne peut pas le prêter

3 • **En région parisienne, l'abonnement s'appelle :**
  a. ☐ Navigo
  b. ☐ Amigo
  c. ☐ Parigo

4 • **Le prix du forfait dépend :**
  a. ☐ du nombre de voyages
  b. ☐ du nombre de zones
  c. ☐ de l'âge de son propriétaire

5 • **Le passe *Imagine R* est :**
  a. ☐ mensuel
  b. ☐ annuel
  c. ☐ trimestriel

6 • **Le passe *Découverte* coûte :**
  a. ☐ 18,85 € pour une semaine
  b. ☐ 18,95 € pour une semaine
  c. ☐ 18,45 € pour une semaine

Répondez aux questions en cochant (X) la bonne réponse.

1 • **On peut choisir les formats et le papier du livre photo.**
  ☐ Vrai   ☐ Faux

2 • **Le programme propose d'utiliser un assistant.**
  ☐ Vrai   ☐ Faux

3 • **Il faut ordonner les photos par ordre alphabétique.**
  ☐ Vrai   ☐ Faux

4 • **On peut choisir le nombre de photos par page.**
  ☐ Vrai   ☐ Faux

5 • **On ne peut pas choisir la couverture du livre photo.**
  ☐ Vrai   ☐ Faux

6 • **Le programme sauvegarde automatiquement les données.**
  ☐ Vrai   ☐ Faux

ACTIVITÉ 9

Répondez aux questions en cochant (X) la bonne réponse.

1 ● **Le cadre possible de cette situation est :**
   a. ☐ une auto-école
   b. ☐ un commissariat de police
   c. ☐ un collège ou un lycée

2 ● **La vitesse est responsable de :**
   a. ☐ 20 % des tués sur les routes
   b. ☐ 50 % des tués sur les routes
   c. ☐ 15 % des tués sur les routes

3 ● **Quand il pleut, il est recommandé de ne pas rouler à plus de :**
   a. ☐ 100 km/h sur les routes à deux fois deux voies
   b. ☐ 120 km/h sur les autoroutes
   c. ☐ 90 km/h sur les routes ordinaires

4 ● **Quand on conduit vite, la perception visuelle :**
   a. ☐ diminue seulement sur les côtés
   b. ☐ diminue de près mais pas de loin
   c. ☐ diminue dans son ensemble

5 ● **Les temps de réaction et de freinage :**
   a. ☐ diminuent si la vitesse augmente
   b. ☐ augmentent si la vitesse augmente
   c. ☐ ne varient pas si la vitesse augmente

6 ● **Le temps de réaction dépend :**
   a. ☐ de l'état physique du conducteur
   b. ☐ de la prise de médicaments ou d'alcool
   c. ☐ rarement de la circulation

7 ● **Pour éviter les accidents, avec la voiture qui précède :**
   a. ☐ il est inutile d'essayer de les anticiper
   b. ☐ il faut toujours garder une distance de sécurité
   c. ☐ il est conseillé de respecter une distance de 90 m sur autoroute

ACTIVITÉ 10

A. Répondez aux questions en cochant (X) la (ou les) bonne(s) réponse(s).

1 ● Thiers est le nom :
   a. ☐ d'une ville
   b. ☐ d'un couteau
   c. ☐ d'un musée

2 ● Le couteau mesure :
   a. ☐ 20 cm ouvert et 12 cm fermé
   b. ☐ 22 cm ouvert et 10 cm fermé
   c. ☐ 22 cm ouvert et 12 cm fermé

3 ● Le couteau :
   a. ☐ est gratuit
   b. ☐ revient à 20 €
   c. ☐ revient à 23 €

4 ● Cet atelier de fabrication de son propre couteau existe depuis :
   a. ☐ longtemps
   b. ☐ le 16 avril 2011
   c. ☐ le 7 avril 2011

B. dans quel ordre se font les opérations suivantes ? Cochez le numéro correspondant.

	1	2	3	4	5	6
Fixer le ressort et la lame.						
Graver son prénom.						
Percer la lame et le manche.						
Polir la lame.						
Observer et manipuler l'outillage.						
Poser les rivets et vérifier le montage.						

ACTIVITÉ 11

Répondez aux questions en cochant (X) la (ou les) bonne(s) réponse(s).

1 ● Les boîtes en plastique libèrent des composés toxiques au contact :
   a. ☐ des liquides acides
   b. ☐ des liquides chauds
   c. ☐ des corps gras

2 ● Les numéros correspondant aux différents types de plastiques se trouvent :
   a. ☐ sur le couvercle des boîtes
   b. ☐ sous les boîtes
   c. ☐ sous le couvercle des boîtes

3 ● Il faut jeter les boîtes :
   a. ☐ n°2   b. ☐ n°3   c. ☐ n°7

4 ● On peut garder les boîtes :
   a. ☐ n°4   b. ☐ n°6   c. ☐ n°1

5 ● On a découvert des problèmes de sécurité alimentaire :
   a. ☐ dans plus de 50 % de moules en silicone analysés
   b. ☐ dans 81 % de moules en silicone analysés
   c. ☐ dans tous les moules en silicone analysés

6 ● Les moules en plastique contenant du peroxyde sont interdits :
   a. ☐ en Chine
   b. ☐ en Suisse
   c. ☐ en France

7 ● Il faut préférer :
   a. ☐ le papier sulfurisé au film alimentaire en PVC
   b. ☐ le pyrex coloré ou non aux boîtes en plastique
   c. ☐ la porcelaine blanche aux boîtes en plastique

////////////// **IV** Émissions de radio et enregistrements //

ACTIVITÉ 1

Cochez la (les) case(s) correspondant à chaque personne. //////////////////////

La personne	a détesté	n'a pas vraiment aimé	a aimé	a adoré	a ri	a aimé le jeu des acteurs
n°1						
n°2						
n°3						
n°4						
n°5						
n°6						
n°7						

ACTIVITÉ 2

Répondez aux questions en cochant (X) la bonne réponse. //////////////////////

1 • **Vienne est la ville :**
  a. ❑ la plus riche
  b. ❑ la plus agréable
  c. ❑ la plus belle

2 • **Parmi les 10 premières villes classées, on trouve :**
  a. ❑ des villes allemandes
  b. ❑ des villes françaises
  c. ❑ des villes italiennes

3 • **Le critère « sécurité individuelle » est fondé sur :**
  a. ❑ les relations extérieures du pays
  b. ❑ les relations internes du pays
  c. ❑ les relations internationales du pays

4 • **Pour la qualité de vie, New-York arrive :**
  a. ❑ à la 47e place
  b. ❑ à la 57e place
  c. ❑ à la 87e place

5 • **Le lieu le plus sûr est :**
  a. ❑ Berne
  b. ❑ Helsinki
  c. ❑ Luxembourg

6 • **Les éléments de qualité de vie sont :**
  a. ❑ la beauté des espaces verts
  b. ❑ les loisirs, le logement et l'environnement
  c. ❑ le nombre de monuments classés

ACTIVITÉ 3

Répondez aux questions en cochant (X) la bonne réponse. //////////////////////

1 • **Autolib' est utilisée :**
  a. ❑ en libre-service
  b. ❑ en libre arbitre
  c. ❑ en librettiste

2 • **La voiture a été conçue en :**
  a. ❑ France
  b. ❑ Italie
  c. ❑ Allemagne

3 • **Pour conduire une Autolib' :**
  a. ❑ il faut un abonnement
  b. ❑ il ne faut pas d'abonnement
  c. ❑ il faut s'inscrire sur Internet

4 • **La demi-heure d'utilisation coûte :**
  a. ❑ 12 €
  b. ❑ 10 €
  c. ❑ de 5 à 7 €

5 ● Pour démarrer, il faut :
    a. ☐ taper un code
    b. ☐ appeler un agent
    c. ☐ avoir une clé de contact

6 ● Avec la Blue car, on peut se garer :
    a. ☐ partout
    b. ☐ où il y a de la place
    c. ☐ uniquement dans les stations réservées

ACTIVITÉ 4

Complétez les phrases avec les mots et les chiffres du document sonore.

1 ● « Le Train Bleu » est le nom du .... de la Gare de Lyon.

2 ● Il a été inauguré le .... avril ....

3 ● Il a été offert par la Compagnie .... à la Gare de Lyon.

4 ● Ses salles constituent un bel exemple du style ....

5 ● Les .... et les .... de cuir, les .... pourpres

et les .... de cristal sont représentatifs de l'art ....

6 ● Les .... peintures illustrent des .... du réseau.

7 ● Les trois plafonds de la grande salle représentent les villes de .... ,

.... et .... dont les initiales forment le nom de la compagnie

et du réseau ....

8 ● Deux grandes salles et deux salons ont été .... en ....

9 ● Le nom de « Train Bleu » a été donné en .... en l'honneur du train ....

ACTIVITÉ 5

Répondez aux questions en cochant (X) la bonne réponse.

1 ● L'information date de novembre 2011.
    ☐ Vrai   ☐ Faux   ☐ On ne sait pas

2 ● 2011 a été la douzième année la plus chaude depuis 1850.
    ☐ Vrai   ☐ Faux   ☐ On ne sait pas

3 ● Les 13 années les plus chaudes de la planète sont toutes après 1997.
    ☐ Vrai   ☐ Faux   ☐ On ne sait pas

4 ● La température moyenne augmente régulièrement de ½ degré.
    ☐ Vrai   ☐ Faux   ☐ On ne sait pas

5 ● L'OMM est basée à Durban.
    ☐ Vrai   ☐ Faux   ☐ On ne sait pas

6 ● La diminution du volume de la banquise a été de 35 % d'une année sur l'autre.
    ☐ Vrai   ☐ Faux   ☐ On ne sait pas

7 ● Depuis 1750, les émissions de CO_2 ont augmenté de près de 40 %.
    ☐ Vrai   ☐ Faux   ☐ On ne sait pas

8 ● Les émissions de méthane ont augmenté de 58 %.
    ☐ Vrai   ☐ Faux   ☐ On ne sait pas

//

9 ● **Les émissions de protoxyde d'azote ont augmenté de 20 %.**
☐ Vrai   ☐ Faux   ☐ On ne sait pas

10 ● **La température de la Terre risque d'augmenter de 2,5 C° d'ici à 2100.**
☐ Vrai   ☐ Faux   ☐ On ne sait pas

ACTIVITÉ 6

Répondez aux questions en cochant (X) la bonne réponse. //

1 ● **Il s'agit d'une enquête réalisée par :**
   a. ☐ l'Observatoire du pain
   b. ☐ le CREDOC
   c. ☐ les professionnels de santé

2 ● **a.** ☐ Presque 100 % des Français consomment du pain
   b. ☐ Environ 90 % des Français consomment du pain
   c. ☐ Près de 88 % des Français consomment du pain

3 ● **La génération des 20-30 ans est appelée :**
   a. ☐ génération X
   b. ☐ génération Y
   c. ☐ génération Z

4 ● **Les 20-30 ans :**
   a. ☐ préfèrent les plats cuisinés mais aiment les produits naturels
   b. ☐ préfèrent consacrer moins d'argent aux loisirs qu'à l'alimentation
   c. ☐ préfèrent consommer moins de pain

5 ● **Les 20-30 ans :**
   a. ☐ mangent plus de fast food que de sandwichs
   b. ☐ mangent plus de sandwichs que de fast food
   c. ☐ mangent autant de sandwichs que de fast food

6 ● **Cette génération mange :**
   a. ☐ moins de pain de mie
   b. ☐ surtout des pains spéciaux
   c. ☐ peu de biscottes et de pain grillé

7 ● **La part du pain consommé en sandwich est passée de :**
   a. ☐ 4,5 % à 7,1 % chez les enfants
   b. ☐ 11,3 % à 16,9 % chez les adolescents
   c. ☐ 6,4 % à 7,9 % chez les adultes

8 ● **La consommation du pain :**
   a. ☐ augmente avec l'âge
   b. ☐ reste la même quel que soit l'âge
   c. ☐ diminue avec l'âge

ACTIVITÉ 7

Répondez aux questions en cochant (X) la bonne réponse.

1 • La hausse de fréquentation concerne plutôt les petits musées.
   ❏ Vrai   ❏ Faux   ❏ On ne sait pas

2 • Il y a une forte affluence les jours de gratuité.
   ❏ Vrai   ❏ Faux   ❏ On ne sait pas

3 • Le public est devenu plus jeune et plus féminin.
   ❏ Vrai   ❏ Faux   ❏ On ne sait pas

4 • Les visiteurs viennent en car.
   ❏ Vrai   ❏ Faux   ❏ On ne sait pas

5 • L'exposition « Manet » a accueilli 470 000 visiteurs.
   ❏ Vrai   ❏ Faux   ❏ On ne sait pas

6 • Les touristes anglais aiment visiter le Palais de l'Élysée.
   ❏ Vrai   ❏ Faux   ❏ On ne sait pas

7 • La délocalisation du centre Pompidou a connu un vif succès.
   ❏ Vrai   ❏ Faux   ❏ On ne sait pas

ACTIVITÉ 8

Répondez aux questions en cochant (X) la bonne réponse.

1 • Les normes officielles en France et en Europe correspondent à des critères de qualité précis.
   ❏ Vrai   ❏ Faux   ❏ On ne sait pas

2 • L'AOC française est l'équivalent de l'AOP en Europe.
   ❏ Vrai   ❏ Faux   ❏ On ne sait pas

3 • L'AOC ou l'AOP ne garantissent pas une production dans une même zone géographique.
   ❏ Vrai   ❏ Faux   ❏ On ne sait pas

4 • Le Label Rouge garantit l'excellente qualité d'un produit et l'origine du terroir.
   ❏ Vrai   ❏ Faux   ❏ On ne sait pas

5 • Le logo IGP ne signifie pas que toutes les étapes de fabrication ont été faites dans un même lieu.
   ❏ Vrai   ❏ Faux   ❏ On ne sait pas

6 • La plupart des produits espagnols et italiens bénéficient du logo STG.
   ❏ Vrai   ❏ Faux   ❏ On ne sait pas

7 • Le logo bio-européen n'est pas semblable au logo AB.
   ❏ Vrai   ❏ Faux   ❏ On ne sait pas

8 • Les produits portant un label ou un logo sont plus chers.
   ❏ Vrai   ❏ Faux   ❏ On ne sait pas

Compréhension des ÉCRITS

Description de l'épreuve

L'épreuve de compréhension des écrits consiste à répondre à des questionnaires de compréhension portant sur deux documents écrits.

Il s'agit : – pour le premier document, de dégager des informations utiles par rapport à une tâche donnée ;
      – pour le deuxième document, un texte, d'en analyser le contenu.

Le temps accordé pour l'étude des deux documents **est de 35 minutes**.

Pour vous aider...

Survolez rapidement les supports des deux activités ainsi que les questionnaires qui les accompagnent afin de décider par quelle activité commencer.

- **Pour le premier document, c'est-à-dire la première activité, vous pouvez :**
  - lire d'abord attentivement la situation : elle indique quelle est la tâche à réaliser ;
  - puis observer le tableau à compléter et sa consigne, ainsi que la question posée ;
  - lire ensuite les documents permettant de compléter le tableau ;
  - et enfin compléter le tableau – ceci peut être fait pendant la lecture des documents –, puis répondre à la question posée.

Cette façon de procéder permet de saisir plus vite les informations et de les traiter, de gagner du temps pour réaliser l'activité.

- **Pour le deuxième document, c'est-à-dire la compréhension du texte, vous pouvez :**
  - lire en premier lieu les questions auxquelles il faudra répondre. Cette lecture constituera ainsi un « filtre » à la lecture du texte, les informations à noter étant ainsi relevées plus vite, souvent dès la première lecture du texte ;
  - observer « l'image » du texte : une illustration, la présence ou non de paragraphes, leur disposition, la présence d'un chapeau, d'un surtitre, d'intertitres, le repérage de chiffres, de noms propres, ou encore de sigles aident en effet à avoir une première idée sur le contenu du texte, avant même sa lecture ;
  - lire une première fois le texte et donner une première réponse – pendant cette lecture ou ensuite – aux questions qui ne présentent pas de difficultés, les noter au brouillon si nécessaire ;
  - lire une deuxième fois le texte, contrôler les premières réponses données et répondre aux autres questions – pendant cette lecture ou ensuite – , les noter également au brouillon si nécessaire.
  - relire les réponses, les recopier sur la feuille de réponse si un brouillon a été fait ;
  - corriger les fautes d'orthographe éventuelles, soigner l'écriture.

- **Avant de rendre la copie,** contrôlez de nouveau les deux questionnaires, vérifiez que vos réponses sont claires, ne prêtent pas au doute.

Exemples d'activités à réaliser

Pour vous entraîner, réalisez les activités suivantes.

Vous disposez de 35 minutes pour les deux activités.

I Dégager des informations utiles par rapport à une tâche donnée

ACTIVITÉ 1

Quatre amis – Paul, Marc, Annie et Hélène – ont l'habitude d'aller ensemble au cinéma le dimanche matin. Ils habitent près du cinéma. Ils doivent être chez eux à 12 h 30 pour le déjeuner. Tous quatre adorent les animaux et aiment les films sur les animaux.

Marc aime les policiers et les films fantastiques. Il aime aussi les séries.

Hélène se passionne pour l'histoire mais n'aime pas les dessins animés.

Annie suit en général son amie Hélène. Elle aime tous les types de films.

Paul aime les documentaires et les films d'action et d'aventures. Il aime partager ses émotions avec Marc quand il regarde un film.

Observez les quatre résumés de films et leurs horaires.

a) Pour chaque film, cochez les informations qui conviennent au cas de chaque ami.

Films	Marc	Hélène	Annie	Paul
« Zarafa » *Sous un baobab, un vieil homme raconte une histoire : celle de l'amitié entre Maki, 10 ans, et Zarafa, une girafe orpheline, cadeau du Pacha d'Égypte à Charles X.*		✓		
Horaire : 11 h 00 Durée 1 h 18				
« Félins » *Dans les plaines du Serengeti en Tanzanie, les félins sont rois. La savane est leur domaine et la nourriture abonde. Mais, quand les adultes partent à la chasse, les petits sont en danger...*				
Horaire : 10 h 45 Durée 1 h 30				
« Voyage au centre de la Terre » *Cette nouvelle aventure commence quand Sean reçoit un signal de détresse codé en provenance d'une île mystérieuse qui ne figure sur aucune carte, une île qui recèle des formes de vie étrange, des montagnes d'or, des volcans meurtriers et bien plus d'un secret stupéfiant.*				
Horaire : 10 h 45 Durée 1 h 33				
« Le cheval de guerre » *L'amitié exceptionnelle qui unit un jeune homme, Albert, et le cheval qu'il a dressé, Joey. Séparés aux premières heures de la Première Guerre mondiale, l'histoire suit l'extraordinaire périple du cheval alors que de son côté, Albert va tout faire pour le retrouver. Joey, animal hors du commun, va changer la vie de tous ceux dont il croisera la route : soldats de la cavalerie britannique, combattants allemands, et même un fermier français et sa petite-fille...*				
Horaire : 10 h 20 Durée 2 h 26				

Marc : ....

Hélène : ....

Paul : ....

Annie : ....

II Analyser le contenu d'un document d'intérêt général

ACTIVITÉ 1

Avoir 20 ans et travailler en milieu carcéral

Elle évolue dans un univers clos, intrigant et parfois violent. Marie Classine travaille au sein du Genepi, le Groupement étudiant national d'enseignement aux personnes incarcérées (genepi.fr), une association qui se charge de favoriser la réinsertion sociale et professionnelle des détenus. Mais le Genepi n'est pas que cela. Il réalise aussi un travail de sensibilisation au milieu carcéral. L'an dernier, 232 interventions ont notamment été données dans les écoles.

Pour Marie Classine, tout a commencé à sa majorité, il y a deux ans. C'est grâce à son colocataire dont le frère est bénévole au Genepi, qu'elle apprend l'existence de cette association créée en mai 1976. Depuis le début, son engagement se nourrit d'abord de ses convictions politiques. *«L'élection d'avril 2002, qui a vu Jean-Marie Le Pen et Jacques Chirac accéder au second tour de la présidentielle, m'a traumatisée... Elle m'a fait prendre conscience de l'échec global des politiques publiques. Et pour moi, cet échec se cristallisait particulièrement en détention»*, explique-t-elle.

Marie Classine donne sa première intervention auprès de détenus, afin de les aider à préparer des diplômes scolaires. Ses premières impressions sur l'univers carcéral sont fortes : *«Je me rappelle du contexte très pesant : le bruit des portes, les différents contrôles à passer... Et puis une chose m'a interpellée. J'étais arrivée à 14 h, l'heure des promenades. Je ne m'attendais pas à autant de circulation dans les couloirs de la prison.»*

Elle se retrouve ensuite, avec un autre membre du Genepi, face à un groupe de six à neuf détenus pour animer un atelier d'écriture. *«Je ne faisais pas de cours à proprement parler, car c'est important de s'affranchir du cadre scolaire. Il faut se rappeler que les personnes incarcérées sont souvent fâchées avec l'école»*, explique Marie Classine, qui bénéficie du statut de volontaire civique qui lui permet de toucher une pension chaque mois. En deux ans, elle a rencontré une trentaine de détenus, sans jamais leur demander le motif de leur incarcération. *«Au début, je pensais qu'on mettait en prison beaucoup trop de monde... Au bout de deux ans, j'en suis convaincue ! Aujourd'hui, l'in-carcération est la seule sanction considérée comme réellement punitive. Sauf que la réinsertion est ardue pour des gens qu'on a privés d'autonomie et de liens avec l'extérieur pendant parfois dix ou quinze ans.»*

Les activités du Genepi sont multiples. Elles complètent le dispositif déjà existant en milieu carcéral, allant du soutien scolaire à l'organisation de tournois de sport, en passant par des ateliers socio-éducatifs ou différentes activités se rapprochant de la formation professionnelle. Le Genepi compte 1 300 bénévoles âgés de 21 à 24 ans qui interviennent dans plus de 80 établissements pénitentiaires. Après leur inscription (il faut être étudiant et avoir un casier judiciaire vierge), un entretien est proposé pour cerner les motivations des étudiants et connaître leurs disponibilités.

«Au fil du temps, le nombre d'étudiants s'épure, explique Marie Classine, qui est aujourd'hui vice-présidente du Genepi. Certains arrêtent au bout de quelques mois, mais ceux qui continuent restent en général plusieurs années.»

**Léa Barbat, article du *Monde*
paru dans *Matin Plus*, 24/11/2011.**

1 • Quel est l'objectif de l'association Genepi ? (Relevez la phrase du texte) ....
....

2 • Comment le Genepi sensibilise-t-il au milieu carcéral ? ....
....

3 • Quelles raisons ont poussé Marie Classine à travailler avec le Genepi ? ....
....

4 • Quels types d'interventions Marie Classine a-t-elle faites auprès des détenus ? ....
....

5 • Pourquoi la réinsertion des détenus est-elle difficile ? ....
....

6 • Qui sont les bénévoles qui interviennent ? ....
....

7 • À quelles conditions doivent-ils satisfaire pour exercer leur bénévolat ? ....
....

8 • Quelles sont les activités du Genepi ? ....
....

Évaluez-vous dans les pages suivantes.

Grilles de correction

Les grilles de correction des activités sont les corrigés de celles-ci.
Lors de l'examen, chaque réponse est notée.
La compréhension des écrits est notée sur **25 points :**
     – la première activité, la tâche, est notée sur **12 points** ;
     – la deuxième activité, le texte, est noté sur **13 points**.

Corrigés

////////// **I** **Dégager des informations utiles par rapport à une tâche donnée** ////////////////////////

ACTIVITÉ 1

Pour l'activité que vous venez de faire, avez-vous donné ces réponses ? /////////////////////////
a)

Films	Marc	Hélène	Annie	Paul
« Zarafa »	✗		✗	✗
Horaire : 11 h 00 Durée 1 h 18	✗	✗	✗	✗
« Félins »	✗	✗	✗	✗
Horaire : 10 h 45 Durée 1 h 30	✗	✗	✗	✗
« Voyage au centre de la Terre »	✗		✗	✗
Horaire : 10 h 45 Durée 1 h 33	✗	✗	✗	✗
« Le cheval de guerre »	✗	✗	✗	✗
Horaire : 10 h 20 Durée 2 h 26				

b) Marc et Paul vont voir *« Voyage au centre de la Terre »*.
    Annie et Hélène vont voir *« Félins »*.

Si ce n'est pas le cas, voici quelques commentaires vous permettant
de mieux évaluer vos erreurs. ///

– Les quatre amis adorent les animaux et les films sur les animaux, ils sont donc intéressés
par trois films : *« Zarafa »*, *« Félins »* et *« Le cheval de guerre »*.

– Ils ne peuvent pas aller voir *« Le cheval de guerre »* car le film se termine trop tard, 12 h 46
(10 h 20 + 2 h 26), pour être chez eux à 12 h 30.

– Pour les autres films, les horaires conviennent.

– Marc aime les films fantastiques. Paul aime les films d'action et d'aventures et aime voir les films
avec Marc. Ils vont donc préférer voir *« Voyage au centre de la Terre »* plutôt qu'un autre film.

– Hélène adore l'histoire et les animaux. *« Zarafa »* réunit ses deux passions mais elle déteste
les dessins animés, et donc sans doute les films d'animation. Elle choisira donc *« Félins »*.

– Annie aime tous les films et adore les animaux. Elle suit en général Hélène. Elle ira donc
voir *« Félins »* avec Hélène.

ACTIVITÉ 1

Pour l'activité que vous venez de réaliser, avez-vous donné ces réponses ?

1 • Favoriser la réinsertion sociale et professionnelle des détenus.

2 • Il intervient par exemple dans des écoles.

3 • Ses convictions politiques et le constat de l'échec des politiques publiques.

4 • Aider à préparer des diplômes et animer des ateliers d'écriture.

5 • La privation d'autonomie et de liens avec l'extérieur est trop longue.

6 • Des jeunes de 21 à 24 ans.

7 • Ils doivent être étudiants, ne pas avoir de casier judiciaire et passer un entretien (pour prouver leur motivation et dire quelles sont leurs disponibilités).

8 • Du soutien scolaire, l'organisation de tournois de sport, des ateliers socio-éducatifs, des activités se rapprochant de la formation professionnelle.

Si ce n'est pas le cas, voici quelques commentaires vous permettant de mieux évaluer vos erreurs.

1 • Cette réponse ne devrait pas poser de problème car elle constitue la « définition » du Genepi.

2 • Si par exemple vous avez répondu « Ils ont fait 232 interventions dans les écoles », votre réponse laisse entendre que leurs interventions n'ont eu lieu que dans les écoles. Il faut bien noter qu'il est mentionné « *notamment [...] dans les écoles* », c'est-à-dire, en particulier, par exemple, dans les écoles.

3 • La réponse est apportée en « deux temps » : *où se nourrit son engagement*, c'est-à-dire ses « convictions politiques » et la deuxième phrase de sa citation : « *...elle m'a fait prendre conscience... publiques* ».

4 • Pour cette question il faut repérer et rapprocher les deux éléments de réponse, l'un au début du deuxième paragraphe, l'autre à la deuxième ligne du troisième paragraphe.

5 • Il est possible de citer le texte, mais ceci n'est pas demandé dans la question, il faut donc reformuler la phrase, et en particulier reformuler « *pendant parfois dix ou quinze ans* ».

6 • La réponse à cette question ne peut être que l'âge, les autres précisions étant demandées à la question 7. Il n'est pas demandé combien ils sont. Ce point n'est donc pas à donner.

7 • Il est facile de relever les différents critères, mais il faut veiller à reformuler la phrase.

8 • La réponse à cette question est donnée avant la réponse à la précédente. Les réponses aux questions peuvent parfois ne pas suivre chrono-logiquement le texte.

Conseils

Quelle que soit l'activité de compréhension écrite :

– Citez une phrase du texte seulement si cela vous est demandé.

– Dans le cas contraire, reformulez la phrase : cela permet de vérifier votre compréhension.

– Soignez l'orthographe, la présentation de vos réponses, évitez les ratures. Si la vérification de compréhension est le point central de l'activité, un travail trop négligé peut vous faire perdre un ou plusieurs points.

////////// **I** | **Dégager des informations utiles par rapport à une tâche donnée** //////////////////////////

ACTIVITÉ 2

Arnaud et Magali ont invité des amis pour une soirée « télé ». Arnaud est passionné de football, Magali, elle, en a horreur. Elle préfère les séries policières ou les films d'aventure. Leur ami Samuel s'intéresse à la politique, mais n'a rien contre les films policiers. Agnès, elle, adore les émissions qui parlent de mode et de cosmétiques et Marco, leur ami italien, les films d'aventure. Son oncle, Romano, a chanté dans une chorale quand il était jeune.

Observez les six documents. //

Les Choristes
⬛⬛⬛Comédie dramatique de Christophe Barratier (France/Allemagne/Suisse, 2004). 95 mn. Avec Gérard Jugnot, François Berléand, Jacques Perrin. *988742.*

▶ Pion musicien, Gérard Jugnot apprivoise les jeunes délinquants des années 50 en montant une chorale. Remake « terroir » de *La Cage aux rossignols* : générosité hors du temps, larme à l'œil garantie. C'est dans les vieux pots...

Inspecteur Barnaby
⬛Série policière britannique. 90 mn. VF. Avec Neil Dudgeon, Jason Hughes, Fiona Dolman. *764655. Une foi sacrée.*

▶ Au contraire de l'expert Gil Grissom, l'inspecteur Barnaby n'a pas besoin de scanner à protons inversés pour résoudre les affaires criminelles : une bonne pinte de stout et un redoutable flair font l'affaire. Même pour le meurtre d'une religieuse.

Football
⬛Lorient/Rennes.
France Ligue 1. 26ᵉ journée. En direct. HD. 115 mn. *1341907.*
En course pour une place sur le podium en fin de saison, Julien Féret et les Rennais espèrent sortir indemnes de ce derby breton qui les voit défier les "Merlus" lorientais de Christian Gourcuff.

Thema
Style is it,
le style c'est la vie
⬛20.40 ⬛Prêt-à-porter
Comédie de Robert Altman (*Ready to wear*, USA, 1994). 130 mn. VM. *9410181.*

▶ A Paris, capitale de la mode, le président de la Chambre syndicale du prêt-à-porter meurt alors que la saison des défilés bat son plein. Une distribution éblouissante campe une galerie de fantoches dans un puzzle qui contient trop de pièces. Pas le meilleur Altman donc, car trop superficiel et décousu. LIRE page 89.

Capital
⬛*Acheter français, produire français : est-ce vraiment possible ?*
Présentation : Thomas Sotto.
Invité : François Bayrou. HD. 115 mn. *258549.*
Quand le "made in France" cartonne. Acheter français, pas si simple. Relocalisations : deux ans plus tard, pari réussi ?
Pourquoi l'Allemagne réussit-elle mieux que nous ?

Le Diamant du Nil
⬛⬛Film d'aventures de Lewis Teague (*The Jewel of the Nile*, USA, 1985). 105 mn. VF. Avec Michael Douglas, Kathleen Turner, Danny DeVito. *79232075.*

▶ La suite ratée, d'*A la poursuite du diamant vert*, ou les aventures et les chamailleries de Michael Douglas et Kathleen Turner en Afrique. Là où Robert Zemeckis préférait l'aventure exotique riche en malice, Lewis Teague fait dans la superproduction friquée...

Télérama n° 3242, du 3 au 9 mars 2012.

D comme... DELF

//

a. *Pour chacun des amis et pour chacune des émissions proposées, cochez (X)*
la case « convient » ou « ne convient pas ».

	Les Choristes		Inspecteur Barnaby		Football		Style is it, le style c'est la vie		Capital		Le Diamant du Nil	
	Convient	Ne convient pas	Convient	Ne convient pas	Convient	Ne convient pas	Convient	Ne convient pas	Convient	Ne convient pas	Convient	Ne convient pas
Arnaud												
Magali												
Samuel												
Agnès												
Marco												
Romano												

b. *Arriveront-ils à se mettre d'accord ?*

....

....

ACTIVITÉ 3

Madame Courtine désire célébrer son anniversaire au restaurant avec ses amis.
Elle cherche un restaurant dans un lieu agréable, calme, à la campagne ou avec une jolie vue. Elle voudrait proposer à ses invités un menu original avec le plus possible de choix dans les plats et les desserts. Elle a fixé son budget à 35-40 € par personne pour un menu avec fromage et dessert.

Voici les menus des trois restaurants consultés.

Midland
Dans une rue calme du centre-ville

MENU

Entrées

Éventail d'avocat aux crevettes
ou Terrine de caille et vinaigrette de viande
ou Salade Périgourdine revisitée

Plats

Filet de Saint-Pierre, Mousseline de patates douces au lait de coco
ou Suprême de volaille du Bourbonnais aux girolles et fagot de haricots
ou Entrecôte charolaise (200 g) Pommes sautées aux échalotes

Fromages

Assiette de trois fromages d'Auvergne
ou Fromage blanc battu au coulis de fruits rouges ou miel

Desserts

Macaron maison aux noisettes, framboises et estragon
ou Salade de fruits frais à la citronnelle et menthe

35 € (entrée + plat + fromage + dessert)

La Fontaine

Restaurant à la campagne

MENU • 42 €
(entrée + plat + fromage + dessert)

Entrées

Profiteroles de foie gras de canard et son espuma, caramel au vinaigre balsamique

ou Crémeux de topinambours et chips, Saint-Jacques juste rôties, trait d'huile de noix de Blot l'Église

Plats

Filet de bar poêlé, crème de homard à l'estragon et ses pâtes à l'encre de seiche

ou Filet de bœuf ou de cerf aux dés de fois gras et sa sauce aux airelles

Fromages Plateau de fromages d'Auvergne

ou Fromage blanc au sucre ou fines herbes

Desserts Notre carte de desserts

Menu - 36 €
(entrée + plat + fromage + dessert)

Restaurant sur le Lac d'Allier

La table de Marlène

Entrées

L'escargot de Bourgogne dans tous ses états (caché pané en persillade, au bleu de Laqueuille, en millefeuille aux noisettes)
ou
La caille caramélisée, millefeuille de blettes au magret de canard fumé et parmesan
ou
Ravioles de saumon label rouge et crustacés, gambas papillon confites à l'huile d'olive colombino

Plats

Pintade fermière préparée de deux façons, marrons confits
ou
Dos de cabillaud de petit chalut, risotto Blake & White, légumes Tempura
ou
Joue de cochon fermière des montagnes du Cantal confite (4 € suppl.)

Fromages

Faisselle de fromage blanc à la crème
ou
Les fromages frais et affinés d'Auvergne et d'ailleurs

Desserts

Le tout chocolaté grand cru Alpaco effet velours
ou
Pomme, pomme, pomme !!! chaude, crumble aux amandes
ou
Baba bouchon à la vanille de Bourbon parfumé au rhum

a. Dans le tableau ci-après, cochez ce qui convient (C) ou ne convient pas (NCP).

	Situation		Choix Entrées		Choix Plats		Fromages		Choix Desserts		Prix	
	C	NCP	C	NCP	C	NCP	C	NCP	C	NCP	C	NCP
Midland												
La Fontaine												
La Table de Marlène												

b. Quel restaurant va choisir Madame Courtine ?

....

....

ACTIVITÉ 4

Les Desprès (3 personnes) et les Favre (3 personnes) ont l'habitude de passer leurs vacances d'hiver ensemble, une semaine à la montagne. Cette année, ils voudraient loger en chambres d'hôtes, dans un cadre agréable et calme. Ils sont prêts à choisir une autre destination que les Alpes. Ils aimeraient faire du ski et se détendre dans les eaux chaudes d'une piscine ou d'un spa, par exemple. Leur budget ne doit pas dépasser 40 € par personne et par nuit avec le petit-déjeuner car il leur faudra ajouter les autres repas. Gourmands, ils aiment goûter aux spécialités régionales.

Observez les documents.

① Dans les Alpes - Repaire de champions

Sept enfants, six champions : la famille Piccard est unique dans le sport français ! Au centre des Saisies, en Savoie, Le Chalet d'Éléonore [...] a donné naissance à un nid d'athlètes. Yeux gris et cheveux coupés court, Leila, médaillée de bronze en slalom géant aux Championnats du monde de 1997 à Sestrières (Italie), reçoit dans le chalet familial dont a seulement disparu... la salle de musculation. Moquette au sol, bardages de pin aux murs, les chambres ayant pour nom Franck, Ted ou John, ses frères, émeuvent par leur simplicité. Le matin, dans la salle à manger ouvrant sur la chaîne du Beaufortain, elle distribue confitures faites maison, œufs bio de son poulailler et conseils avisés... Qu'il s'agisse de passer son flocon ou de se muer en étoile des neiges.

Le Chalet d'Éléonore, avenue des Jeux Olympiques, 73620 Les Saisies.
99 € la chambre double, 120 € pour 3 personnes en hiver. Toutes avec petit-déjeuner.

② Dans les Vosges - Un petit air de Polynésie

Hélène Mathieu, la propriétaire de Couleurs Bois & Spa a parcouru le monde et vécu à Bora Bora, en Polynésie, avant de s'installer à l'orée du village de Xonrupt, tout près de Gérardmer. Au milieu des sapins, elle a fait construire une immense maison (700 m²) avec terrasse ouvrant sur le Hohneck (1 363 m). Revêtues de différentes essences de bois (sapin, épicéa ou mélèze), les quatre chambres spacieuses arborent ici des skis en tête de lit, là une belle patine couleur améthyste… et si sur la table d'hôtes, Hélène privilégie tous les délices du terroir […] au spa-sauna, jaccuzi et salle de sport, elle a choisi de laisser flotter toutes les fragrances de la Polynésie.

Couleurs Bois et Spa, 103 route du Blanc Ruxel, 88 400 Xonrupt-Longemer, 130 € la chambre double avec petit-déjeuner, 250 € la suite, 26 € la table d'hôtes, 12 € le spa sur réservation.

③ Dans les Pyrénées - Un cocon de douceur

Cette petite ferme catalane du XVIIIᵉ siècle se niche tout en haut (1 500 m) de Lio, joli village pyrénéen tout proche de Font-Romeu. En traversant la cour, on accède à la grande salle lumineuse dont les baies, plein sud, embrassent les toits et la vallée. Anne, la propriétaire du Cal Miquel, sert soupe aux orties, escalivada (légumes marinés) et autres spécialités de Cerdagne. […] Revêtues de chaux ou de tadelakt aux couleurs pastel, les cinq chambres, que l'on rejoint par un escalier étroit, sont toutes petites, comme leurs douches. Mais elles sont confortables et l'on s'y sent comme dans un cocon. Pourquoi d'ailleurs s'embarrasser d'une grosse valise ? Une combinaison si l'on veut skier dans les stations proches et confidentielles d'Err ou d'Eyne, et surtout un maillot de bain pour plonger dans les sources d'eau chaude, régénérantes, qui jaillissent à dix minutes de là. Il n'en faut pas plus.

Cal Miquel, 66800 Lio. 45 € par personne en demi-pension.

Version Femina, www.femina.fr, décembre 2011.

a. Dans le tableau ci-après, cochez ce qui convient (C) ou ne convient pas (NCP)
pour chaque chambre d'hôtes.

	Cadre calme		Skier		Eaux chaudes		Prix	
	C	NCP	C	NCP	C	NCP	C	NCP
Le Chalet d'Éléonore								
Couleurs Bois et Spa								
Cal Miquel								

b. Les Desprès et les Favre vont choisir quelle chambre d'hôtes ? ....

ACTIVITÉ 5

Une bande d'amis fait tous les ans une excursion en Alsace au mois de septembre.
Cette année, ils partent en semaine et hésitent entre deux randonnées.
Suite à une opération du genou, une des participantes doit éviter le plus possible les sentiers grimpants. Ils devront éventuellement écourter la randonnée. Ils souhaitent avoir une belle vue sur la plaine d'Alsace et voudraient trouver un restaurant en cours de route.

Observez les descriptions et les conseils donnés pour ces deux randonnées.

FLECKENSTEIN - 3 CHÂTEAUX VOISINS GIMBELHOF

Présentation de la randonnée
Département : Bas-Rhin (67)
Distance : 10 km environ
Dénivelé : 343 m
Durée : 2 h 30 environ
Difficulté : Être en forme
Restauration possible : Au P'tit Fleck et au Gimbelhof le week-end seulement

Conseils
Le parcours peut être effectué en toute saison, mais idéalement au printemps - été - automne. Il est déconseillé en cas de verglas, surtout pour la visite des châteaux.
Comme il s'agit des Vosges du Nord, le relief est très vallonné et composé de sommets de faible altitude. Le parcours qui vous est proposé ici comporte une montée progressive d'environ 1 h entre la frontière franco-allemande située au pied du Fleckenstein et le château du Wegelnburg (en Allemagne). Une fois ce petit effort fourni, le parcours ne comportera quasiment plus que de la descente.
Le Fleckenstein, dont l'entrée est payante, a des dates et des horaires d'ouverture variables au courant de l'année. Visitez le site internet du château pour en savoir plus. Il faut compter 1 h à 1 h 30 pour la visite tant il y a de choses à découvrir : la faible distance du parcours permet d'intégrer très facilement cette visite dans l'emploi du temps de la journée.
http://www.alsacerando.com

MONT SAINTE-ODILE : TOUR COMPLET DU MUR PAÏEN

Présentation de la randonnée
Département : Bas-Rhin (67)
Distance : 11 km environ
Dénivelé : 225 m
Durée : 2 h 40 environ
Difficulté : Être en forme
Restauration possible : Au Couvent du Mont Sainte-Odile, salle des Pèlerins toute l'année.

Conseils
Ce parcours est réalisable en n'importe quelle saison mais prudence dans les descentes (à cause des racines des arbres affleurant au sol).
Dans l'ensemble, le signe principal à suivre pour faire le tour du mur païen est le chevalet (X) jaune. Le parcours ne s'en écartera que vers le mont Hohenbourg. Il est possible de limiter la visite au circuit nord du mur païen. Pour ne faire que le circuit sud, utiliser la Fiche Rando 67005 présentée sur le site.
Le massif du Mont Sainte-Odile étant particulièrement fréquenté le week-end et à la belle saison, je vous conseille, si vous le pouvez, de vous y promener en semaine.
Possibilité de restauration (self-service ; repas tiré du sac autorisé, boissons à prendre au self) à la salle des Pèlerins et WC.
http://www.alsacerando.com

Attention ! Nous sommes sur le territoire de la sainte Patronne de l'Alsace. Comme d'habitude, c'est un ordre religieux qui, pour se rapprocher du ciel, a investi un superbe emplacement au sommet du mont Sainte-Odile. À plus de 750 m, les falaises de grès rose, couvertes de forêts, avancent au-dessus de la plaine d'Alsace. Un million de touristes en font chaque année l'ascension pour le panorama, pour la sainteté des lieux ou pour percer le mystère du fameux Mur païen.

Guide Michelin Vert Alsace-Lorraine, 2006.

a. Pour chacune des excursions et pour chacun des critères proposés, cochez (X)
la case « Convient » ou « Ne convient pas ».

	FLECKENSTEIN – 3 CHÂTEAUX VOISINS – GIMBELHOF		MONT SAINTE-ODILE : TOUR COMPLET DU MUR PAÏEN	
	Convient	Ne convient pas	Convient	Ne convient pas
Distance				
Dénivelé				
Panorama				
Restauration				
Durée				
Printemps				
Possibilité d'écourter la randonnée				

b. Quelle excursion vont-ils choisir ?

....

ACTIVITÉ 6

Pour des raisons professionnelles, Pierre Lemercier s'est rendu le jeudi 29 mars 2012
à Toulouse pour visiter l'exposition « Explorez Mars » qui se tient à la Cité de l'Espace
du 11 février 2012 au 3 juillet 2013. Comme il ne repart que le samedi 31 mars au soir, il a
décidé de profiter de son temps libre pour mieux connaître la ville. À l'office du tourisme,
on lui a remis quelques idées de circuits et de visites. Pierre aime beaucoup découvrir
le patrimoine culturel et monumental d'une ville mais aussi son patrimoine culinaire,
car il est très gourmand. Comment va-t-il organiser sa journée ?

Observez ces propositions de visite (page 48).

Palais de justice ou la ville enfouie

Le Palais de justice vous ouvre ses portes pour une visite à travers l'histoire toulousaine, de la crypte archéologique à l'édifice contemporain. Vous découvrez les vestiges de la Porte Narbonnaise, de la voie romaine, du Château des Comtes de Toulouse et du Parlement. Une visite exceptionnelle.

Tous les 1er et 3e samedis du mois, à 10 h et 11 h
Durée de la visite : 1 h
Tarif unique : 4 €

La balade gourmande

Pour le plaisir des yeux et des papilles, suivez un parcours historique et gastronomique dans les marchés toulousains et dégustez des produits d'exception (porc noir gascon, foie gras, vins et fromages régionaux).

Tous les 4e samedis du mois à 10 h 30
Durée de la balade : 2 h
Tarif normal : 12,50 € - Tarif réduit : 11 € - Dégustation incluse

Grands monuments de Toulouse

Vous découvrez le Capitole (Hôtel de ville) et ses salles d'apparat (sous réserve) ; la Basilique Saint-Sernin, chef-d'œuvre de l'art roman, étape majeure sur les chemins de Saint-Jacques de Compostelle ; l'église et le cloître des Jacobins, maison mère des Dominicains à l'extraordinaire architecture, et l'hôtel de Bernuy, témoin de l'âge d'or toulousain.

Tous les mardis à 14 h 30
Tous les samedis à 15 h
Durée : 2 h
Tarif normal : 9 €
Tarif réduit : 7,50 €

La balade du patrimoine

Pour une première découverte de la ville, cette visite vous propose un panorama complet des principaux sites et monuments. Au gré de cette balade, admirez en passant le Capitole (hôtel de ville), la Basilique Saint-Sernin, de nombreuses églises et hôtels particuliers et, le long de la Garonne, profitez de splendides points de vue sur les monuments emblématiques de Toulouse.

Dimanche 25 mars à 15 h
Durée de la visite : 2 h
Tarif normal : 7,50 €
Tarif réduit : 6 €

www.calameo.com

a. Dans le tableau ci-après, cochez ce qui convient (C) et ce qui ne convient pas (NCP) à la situation de Pierre.

	Contenu		Date		Heure		Durée	
	C	NCP	C	NCP	C	NCP	C	NCP
Palais de justice								
La balade gourmande								
Grands monuments de Toulouse								
La balade du patrimoine								

b. Quelle(s) balade(s) ou visite(s) Pierre va-t-il faire ? _____

//

ACTIVITÉ 7

Votre fils Paul est parti pour une semaine en Bretagne pour un stage de voile. Il veut, bien sûr, rapporter quelques souvenirs, mais ses économies ne lui permettent pas de dépenser plus de 35 €. Il fait une liste des personnes auxquelles il souhaite faire un cadeau : sa maman, son papa, sa sœur Emma et son copain Kevin. Il va dans un magasin de souvenirs et calcule : la fleur de sel coûte 4,50 €/250 g, la boîte en fer de Traou Mad décorée d'un tableau de Gauguin 6 € pour 8 galettes, le phare miniature : 5 €, le bol à prénom 8 € et le sac en toile de jute : 7,50 €. Quant au tableau avec les nœuds de marins, on le trouve à partir de 36 €.

Observez les documents. //

a. Pour chacune des personnes et pour chacun des souvenirs proposés, cochez (X) la case « Convient » ou « Ne convient pas ».

	Bols à prénom		Traou Mad de Pont-Aven		Tableau de nœuds marins		Fleur de sel de Guérande et un sac en toile de jute		Phare miniature	
	Convient	Ne convient pas	Convient	Ne convient pas	Convient	Ne convient pas	Convient	Ne convient pas	Convient	Ne convient pas
Sa maman										
Son papa										
Sa sœur Emma										
Son copain Kevin										

b. Quels souvenirs Paul va-t-il rapporter ?

D comme... DELF

///

ACTIVITÉ 8

Michèle voudrait acheter une tablette tactile, surtout pour ses loisirs. Elle aime voyager et fait beaucoup de photos qu'elle voudrait pouvoir regarder dans de bonnes conditions.
Avant de se rendre dans un magasin, elle a demandé conseil à son frère. Il lui a recommandé d'acquérir une tablette de 16 Go avec lecteur de carte SD ou micro SD, et la meilleure qualité d'image possible. Michèle recherche une tablette légère dont le prix n'excède pas 500 €.

On présente à Michèle ces quatre modèles de tablettes. //

A. Image excellente	B. Centrale multimédia	C. Écriture efficace	D. Mobilité avant tout
Ce modèle très bien fini qui tourne avec une version récente d'Androïd (3.1), est doté d'un écran de 25 cm en 16/9 qu'apprécieront les amateurs de films. D'autant qu'il offre la meilleure qualité d'image, contrastée et bien définie. Dommage que certaines vidéos HD soient un peu saccadées. L'interface tactile est réactive et agréable. Il ne lui manque qu'un lecteur de carte SD ou micro SD qui augmenterait la capacité de stockage.	Outre une prise USB qui permet de transférer simplement le contenu de son ordinateur – images, musique… –, ce modèle reçoit un lecteur de carte SD. Pratique pour charger ses clichés à partir d'un appareil photo numérique. Autre point fort de ce modèle orienté vers le divertissement : il intègre les services d'abonnement de Sony, Music Unlimited et Video Unlimited, ainsi que d'autres fonctions, comme la télécommande universelle ou l'envoi d'une vidéo vers un écran TV compatible (DLNA).	On lui pardonne un poids (965 g) relativement élevé : cette tablette dispose d'un clavier coulissant qui peut se cacher derrière l'écran. Déployé, il ressemble à un petit PC portable et assure une frappe confortable. La luminosité et la définition de l'écran sont de bon niveau, mais la visionneuse pixellise les photos lorsqu'on zoome. La finition est soignée, le dessous est recouvert de caoutchouc pour une prise en main agréable. On apprécie le port micro SD pour augmenter la capacité de stockage.	Avec son écran de 18 cm, ce modèle se glisse facilement dans un sac à main ou une grande poche. Et son prix est tout aussi compact que son format. Bien fini, avec une coque alu, il ne pèse pourtant que 390 g. Son écran offre la même définition que les plus grands modèles : 1280 X 800p. C'est le meilleur de sa catégorie. Et, malgré son petit gabarit, il est pourvu de connexions : USB, mini HDMI et micro SD, utile pour augmenter le stockage interne, limité.
Galaxy Tab 10,1 – Samsung, de 490 € (16 Go/wifi) à 710 € (32 Go/wifi/3G)	Sony, Tablet S, 399 € (16 Go/wifi) et 499 € (16 Go et 3G)	EeePad Slider SI 101, Asus, 500 € (32 Go/wifi)	Mediapad, Huawei, 350 € (8 Go/wifi)

Femme actuelle du 26/10/11 au 04/11/11.

a. Dans le tableau ci-après, cochez ce qui convient (C) et ce qui ne convient pas (NCP) selon ce que recherche Michèle.

	Capacité		Image		Carte SD		Prix	
	C	NCP	C	NCP	C	NCP	C	NCP
A. Image excellente								
B. Centrale multimédia								
C. Écriture efficace								
D. Mobilité avant tout								

b. Quel modèle Michèle va-t-elle choisir ?

....

ACTIVITÉ 9

Alain souhaite offrir un iPod à une amie fascinée par les technologies modernes. Elle aime beaucoup écouter de la musique, elle aime également la littérature, est très sportive et apprécie les couleurs flashy. Il faudrait que l'appareil soit le plus léger possible et muni d'un clip. Alain hésite entre différents iPods et son budget ne peut dépasser 200 €.

Observez les différents modèles d'iPods.

	iPod shuffle	**iPod** nano	**iPod** classic	**iPod** touch
	Le lecteur de musique incroyablement petit et facile à porter retrouve ses boutons. Et VoiceOver vous annonce quelle chanson ou liste de lecture vous écoutez.	Multi-Touch et aux talents multiples, l'iPod nano comprend une radio FM intégrée, un accéléromètre, des cadrans de montre et plus encore.	Avec une capacité de 160 Go pour stocker musique, vidéos et photos, l'iPod classic vous permet d'emporter tout partout.	L'iPod touch est plus fun que jamais avec FaceTime, l'incroyable écran Retina, l'enregistrement vidéo HD et la puce A4 hautes performances.
Fonctionnalités	Musique, livres audio, podcasts	Musique, livres audio, podcasts, photos, radio FM, prise en charge marche et jogging intégrée, prise en charge Nike + intégrée	Musique, films, séries TV, vidéos, livres audio, podcasts, photos	Apps, jeux, musique, films, séries TV, vidéos, ebooks, livres audio, podcasts, photos, enregistrement et montage vidéo HD, FaceTime, iMessage, navigateur web Safari, Mail, Plans, prise en charge Nike + intégrée
Autonomie	Lecture audio Jusqu'à 15 heures	Lecture audio Jusqu'à 24 heures	Lecture audio Jusqu'à 36 heures **Lecture vidéo** Jusqu'à 6 heures	Lecture audio Jusqu'à 40 heures **Lecture vidéo** Jusqu'à 7 heures
Coloris	● ● ● ● ●	● ● ● ● ● ● Exclusivité Apple Store	● ●	● ●
Contenu du coffret	Écouteurs, câble USB pour iPod shuffle	Écouteurs, câble USB	Écouteurs, adaptateur dock, câble USB	Écouteurs, câble USB
Capacité et prix	2 Go **59 €**	8 Go **139 €** 16 Go **169 €**	160 Go **259 €**	8 Go **199 €** 32 Go **299 €** 64 Go **399 €**
Dimensions	29 x 31,6 x 8,7 mm (clip compris)	37,5 x 40,9 x 8,78 mm (clip compris)	103,5 x 61,8 x 10,5 mm	111 x 58,9 x 7,2 mm
Poids	12,5 g	21,1 g	140 g	101 g
Durée de recharge	Environ 3 heures (charge rapide en 2 heures à 80 %)	Environ 3 heures (charge rapide en 1,5 heure à 80 %)	Environ 4 heures (charge rapide en 2 heures à 80 %)	Environ 4 heures (charge rapide en 2 heures à 80 %)
Écran		Écran couleur Multi-Touch de 1,54 pouce (diagonale visible)	Écran LCD couleur rétroéclairé par LED de 2,5 pouces (diagonale visible)	Écran panoramique Multi-Touch de 3,5 pouces (diagonale visible)
Navigation	Commandes à cliquer avec bouton VoiceOver	Écran Multi-Touch	Molette cliquable	Écran Multi-Touch

D comme... DELF

//

a. Pour chacun des iPods et pour chacun des critères proposés, cochez (X) la case « convient » ou « ne convient pas ».

	iPod shuffle		iPod nano		iPod classic		iPod touch	
	Convient	Ne convient pas	Convient	Ne convient pas	Convient	Ne convient pas	Convient	Ne convient pas
Musique								
Livres								
Jogging intégré								
Couleurs flashy								
Clip								
Poids								
Prix								

b. Quel iPod Alain va-t-il choisir ?

http://www.apple.com/fr/

....

ACTIVITÉ 10

Vous habitez à Stuttgart et cette année, c'est décidé, vous allez enfin rendre visite à vos amis de Saint-Nazaire !
Vous préférez y aller en voiture parce que cela vous permettra de traverser la France et de visiter quelques monuments.
Vous pouvez choisir entre deux itinéraires. Le premier vous fera passer par Metz, Reims, Chartres, Le Mans et Angers.
Le second vous fera passer par Nancy, Troyes, Orléans, Tours et Angers.

Vous cherchez l'itinéraire le plus rapide et le moins cher. //

Itinéraire 1 :

///

Stuttgart – 44600 Saint-Nazaire

Coût estimé : **153.34 EUR**
Péage 69. 90 EUR I Carburant 83.44 EUR

Temps : **10 h 51** dont 09 h 08 sur autoroutes

Distance : **1 078 km** dont 1 009 km sur autoroutes

☑ Afficher 47 information(s) sécurité sur ce trajet

www.viamichelin.fr

Itinéraire 2 :

Stuttgart – 44600 Saint-Nazaire

Coût estimé : **159.94 EUR**
Péage 70.30 EUR I Carburant 89.64 EUR

Temps : **12 h 10** dont 09 h 10 sur autoroutes

Distance : **1 159 km** dont 1 033 km sur autoroutes

☑ Afficher 50 information(s) sécurité sur ce trajet

www.viamichelin.fr

a. Pour chacun des itinéraires,
et pour chacun des critères proposés,
cochez (X) la case « convient »
ou « ne convient pas ».

	Stuttgart-Saint-Nazaire par Metz (Itinéraire 1)		Stuttgart-Saint-Nazaire par Nancy (Itinéraire 2)	
	Convient	Ne convient pas	Convient	Ne convient pas
Coût du péage				
Coût du carburant				
Durée				
Nombre de kilomètres				
Nombre de kilomètres sur autoroute				

b. Quel itinéraire allez-vous choisir ?

....

//

ACTIVITÉ 11

Catherine est une nouvelle retraitée qui se préoccupe de son avenir. Elle ne voudrait pas, comme cela a été le cas pour sa mère, perdre progressivement la mémoire. Depuis quelque temps, elle a cessé toute activité sportive. Elle souffre en effet de rhumatismes et ne peut pratiquer de sport qui sollicite trop les articulations. Plus jeune, elle aimait danser. Très active, elle est membre de plusieurs associations. Elle voudrait pratiquer une activité physique qui la pousse à bouger. Elle ne souhaite pas s'inscrire à un club ni être obligée de se plier à des horaires particuliers. Elle voudrait toutefois les résultats les plus efficaces et durables possibles.

Son médecin lui présente quatre grands types d'activités sportives qui aident à muscler la mémoire. //

L'ÉQUITATION, LA DANSE

1 Pour mémoriser plus facilement

Les sports psycho-affectifs (lien avec le cheval dans l'équitation) ou qui favorisent les échanges comme la danse (tango, salsa) ou encore les sports à sensation (surf, parapente) génèrent des stimuli émotionnels associés à une mémorisation plus efficace. Des activités à conseiller à ceux qui s'ennuient ou qui se sentent démotivés dans leurs activités habituelles.

LE TENNIS, L'ESCRIME

2 Pour mieux trier l'information

Tous les sports techniques (ski, danse) qui demandent de traiter beaucoup d'informations en même temps (coordination, équilibre, mouvements complexes…) et de les sérier très vite sont un dopant mental. Un bon moyen donc de garder l'esprit agile et la mémoire vive pour ceux qui oublient les détails du quotidien.

LE YOGA, LE QI-GONG, LE TAI-CHI

3 Pour développer son attention

Les activités basées sur l'écoute de soi développent la « mémoire du corps ». Ils régénèrent le mental épuisé en favorisant le lacher-prise, et améliorent le stockage et la récupération de l'information. Ces disciplines sont à recommander aux personnes qui se laissent vite déborder par un trop-plein d'idées.

LA MARCHE

4 Pour améliorer sa mémoire globale

Une étude australienne a démontré, tests à l'appui, qu'en marchant 150 minutes par semaine, pendant vingt-quatre semaines, on obtenait de meilleurs résultats qu'avec les traitements classiques des déficits de la mémoire. Bluffant : les bons résultats de cette « cure » perdurent après six et même douze mois ! Une raison supplémentaire pour faire les dix mille pas quotidiens recommandés par les experts santé.

///

a. Dans le tableau ci-après, cochez ce qui convient (C) ou ne convient pas (NCP)
à la situation personnelle de Catherine.

	Muscler sa mémoire		Ménager ses articulations		La faire bouger		Sans contraintes particulières		Résultats durables	
	C	NCP	C	NCP	C	NCP	C	NCP	C	NCP
Type 1										
Type 2										
Type 3										
Type 4										

b. Quelle activité va-t-elle choisir ?

....

_____

ACTIVITÉ 12

Pendant son séjour en France, Javier a apprécié la cuisine française mais surtout les différents
plats de poissons que l'hôtesse de sa famille d'accueil lui a préparés.
Il a ainsi dégusté une Bouillabaisse, une Cotriade et une Pochouse. Il a noté soigneusement
les recettes de ces plats mais il a oublié d'indiquer de quelles régions ils provenaient. Il sait bien sûr
que la Bouillabaisse est de Marseille. Mais sa mère voudrait connaître l'origine des deux autres.

Aidez Javier à retrouver l'origine des recettes en associant à chaque recette
ses produits régionaux. ///

Bretagne

Les viandes : porc, agneau (de pré salé), volailles…
Les poissons : rouget, sole, merlan, lieu, congre…
Les crustacés : langoustes, homards, langoustines, étrilles, crabes, crevettes…
Les coquillages : palourdes, praires, bigorneaux, huîtres, moules…
Les légumes : artichauts, choux, oignons, carottes, pommes de terre, poireaux…
Boissons : jus de pomme, cidre, chouchen (eau de vie).

Saône-et-Loire / Bourgogne

Les viandes : veau (Charolais), bœuf, agneau, volailles…
Les poissons de rivière : brochet, tanche, anguille, perche…
Les légumes : carottes, poireaux, pommes de terre…
Boissons : les vins de Bourgogne, rouges et blancs…
Les produits laitiers : lait, crème, beurre…

///

La Pochouse

Ingrédients : 1 anguille de 500 g, 1 brocheton de 400 à 500 g, 1 tanche de 300 à 400 g, 1 perche de 250 g, 150 g de lard de poitrine frais, 8 gousses d'ail, quelques brins de thym, une branche d'estragon, sel, poivre, 75 cl de Bourgogne aligoté, 100 g de beurre ramolli + 50 g pour les croûtons, 75 g de farine, 2 ficelles de pain.

La Cotriade

Ingrédients : 2 kg de poissons (congre, lieu, maquereau, rouget, merlan, sole, vieille, éperlan), 1 kg de crustacés et coquillages (étrilles, langoustines, moules, praires, palourdes, crevettes, homards), 200 g de pain rassis en tranches, 50 g de beurre, 3 oignons, 1 blanc de poireau coupé en rondelles, 3 tomates pelées et épépinées, 1 branche de céleri, 1 bouquet garni, 2 kg de pommes de terre, 300 g de carottes, 800 g de navets, 3 gousses d'ail, piment de Cayenne, safran, sel, poivre.

a. Quelle est l'origine de la Cotriade ?

....

b. Quel(s) ingrédient(s) permet(tent) de l'identifier ?

....

c. Quelle est l'origine de la Pochouse ?

....

d. Quel(s) ingrédient(s) permet(tent) de l'identifier ?

....

ACTIVITÉ 13

C'est votre anniversaire et vous aimeriez le fêter avec quelques amis.
Au moment d'élaborer votre menu, vous vous souvenez que votre ami allemand, Klaus, ne mange pas de poisson, qu'Isabelle est végétarienne et que Rachida ne mange pas de porc et ne supporte pas l'alcool. Qu'allez-vous leur proposer ?

Observez les ingrédients des différents plats ci-dessous. //

ENTRÉE

Verrines fraîcheur au thon
Ingrédients : yaourt, thon au naturel, radis, persil, graines de sésame

Soupe aux chicons
Ingrédients : chicons, poireaux, pommes de terre, lait, crème fraîche, cerfeuil

Tarte aux tomates
Ingrédients : pâte brisée, moutarde Savora, gruyère râpé, tomates, anchois

PLAT PRINCIPAL

Côtes de porc sauce piquante
Ingrédients : côtes de porc fumées ou salées, oignon haché, cornichons doux, concentré de tomate, vin blanc, bouillon, persil haché

Poulet Marengo
Ingrédients : poulet, oignon, tomates, bouillon, champignons de Paris, citron

Tian de légumes du soleil
Ingrédients : aubergines, courgettes, tomates, oignons rouges, ail

DESSERT

Pommes au four à la gelée de groseilles
Ingrédients : pommes golden, gelée de groseilles, jus de citron, beurre, Calvados

Poires au cassis
Ingrédients : poires, sucre, crème de cassis

Douceur de faisselle
Ingrédients : faisselle, abricots secs, fraises séchées, figues séchées, pistaches fraîches, miel

*a. Pour chacune des personnes et chacun des plats proposés, cochez (X) la case « convient »
ou « ne convient pas ».*

	Verrines fraîcheur au thon		Soupe aux chicons		Tarte aux tomates	
	Convient	Ne convient pas	Convient	Ne convient pas	Convient	Ne convient pas
Klaus						
Isabelle						
Rachida						

b. Quelle entrée choisissez-vous ?

....

	Côtes de porc sauce piquante		Poulet Marengo		Tian de légumes du soleil	
	Convient	Ne convient pas	Convient	Ne convient pas	Convient	Ne convient pas
Klaus						
Isabelle						
Rachida						

c. Quel plat principal choisissez-vous ?

....

	Pommes au four à la gelée de groseilles		Poires au cassis		Douceur de faisselle	
	Convient	Ne convient pas	Convient	Ne convient pas	Convient	Ne convient pas
Klaus						
Isabelle						
Rachida						

d. Quel dessert choisissez-vous ?

....

D comme... DELF

//

ACTIVITÉ 14

Vous préparez vos sacoches pour votre randonnée à bicyclette sur la Loire.
Vous partez fin août pour une quinzaine de jours. Le soir, vous logerez à l'hôtel et mangerez
au restaurant. Vous aurez besoin d'une tenue correcte. La météo signale un temps ensoleillé
avec par-ci par-là quelques ondées matinales.
Les températures seront assez fraîches au lever du jour et remonteront dans le courant de la journée.
Pensez à ne pas vous surcharger car vous rentrerez en train.

Observez la liste des objets proposés. //

a. Pour chacun des objets proposés, cochez (X) la case « convient » ou « ne convient pas ».

	Convient	Ne convient pas
Sous-vêtements		
Chaussures pour le soir		
Pantalon		
Chaussettes		
Pinces à linge		
Veste polaire		
Maillots en textile respirant		
Trousse de toilette		
Trousse de couture		
Pansements		
Mouchoirs		
Foulard		
Appareil photo		
Cintres gonflables		
Serviettes de toilette		
Bottes en caoutchouc		
Couteau suisse multifonctions		
Assiettes, gobelets, couverts pour les pique-niques		
Bloc-notes		
Pyjama		
Chaussons de voyage		
Trousse à outils		
Pulls		
Cartes routières		
Chemisiers		

b. Quels sont les objets superflus ?

....

ACTIVITÉ 15

Lors du déménagement de la bibliothèque municipale, les fiches de trois livres se sont mélangées.

Essayez de remettre un peu d'ordre et de relier le titre, le résumé et l'extrait de chacun des romans.

Extrait

Mon père refouille dans sa mallette et sort une cassette. Il appuie sur un bouton de la radiocassette, une petite fenêtre s'ouvre. Il met la cassette dedans, referme la petite fenêtre et appuie sur le bouton « Play ». Ma mère et moi on a failli encore se cogner les têtes pour bien voir comment les choses marchent à l'intérieur de l'appareil. Il y a une bande qui tourne dans la cassette et nos yeux suivent le rythme de cette bande de couleur marron. On n'entend rien, mais la bande tourne.

Soudain, une grosse voix nous fait reculer. Papa Roger garde son calme au lieu d'avoir peur comme nous. Quelqu'un commence à chanter. Mon père augmente un peu le volume. Je regarde le visage de ma mère : il est immobile. Sa bouche est à moitié ouverte, ses mains sont croisées et posées sur la table. Elle ressemble vraiment à une statue de l'église Saint-Jean-Bosco.

On entend maintenant un refrain qui me pousse petit à petit à bouger les épaules alors que normalement c'est pas avec ce genre de musique qu'on danse dans notre quartier :

> *Auprès de mon arbre*
> *Je vivais heureux*
> *J'aurais jamais dû*
> *M'éloigner de mon arbre*
> *Auprès de mon arbre*
> *Je vivais heureux*
> *J'aurais jamais dû*
> *Le quitter des yeux*

Maman Pauline s'agite de plus en plus, mais c'est pas pour danser comme moi, je sens plutôt qu'elle va s'énerver. Elle ne dit rien pour l'instant et regarde mon père qui remue la tête au rythme de la chanson. Moi je me dis : C'est la tête qu'il faut remuer, pas les épaules. Alors j'arrête de danser des épaules et je me mets à remuer la tête comme mon père. Je tape aussi des doigts sur la table car il faut que papa Roger sache au moins qu'il y a quelqu'un dans cette maison qui est content avec cette musique qu'il nous a rapportée et qu'on n'entend pas dans nos bars à nous.

Résumé

Lou Bertignac a 13 ans, un QI de 160 et des questions plein la tête. Les yeux grand ouverts, elle observe les gens, collectionne les mots, se livre à des expériences domestiques et dévore les encyclopédies. Enfant unique d'une famille en déséquilibre, entre une mère brisée et un père champion de la bonne humeur feinte, dans l'obscurité d'un appartement dont les rideaux restent tirés, Lou invente des théories pour apprivoiser le monde. À la gare d'Austerlitz, elle rencontre No, une jeune fille SDF à peine plus âgée qu'elle. No, son visage fatigué, ses vêtements sales, son silence. No, privée d'amour, rebelle, sauvage. No dont l'errance et la solitude questionnent le monde. Des hommes et des femmes dorment dans la rue, font la queue pour un repas chaud, marchent pour ne pas mourir de froid. « Les choses sont ce qu'elles sont ». Voilà ce dont il faudrait se contenter pour expliquer la violence qui nous entoure. Ce qu'il faudrait admettre. Mais Lou voudrait que les choses soient autrement. Que la terre change de sens, que la réalité ressemble aux affiches du métro, que chacun trouve sa place. Alors elle décide de sauver No, de lui donner un toit, une famille, se lance dans une expérience de grande envergure menée contre le destin. Envers et contre tous.

Résumé

Le commissaire Adamsberg devrait se méfier…
On le sait, la Normandie et le Cotentin sont des lieux qu'on dit de longue date hantés par sorciers, fantômes et morts-vivants. Aussi, quand on lui affirme que les disparitions sur lesquelles il enquête sont la vengeance séculaire de « l'Armée furieuse », la « mesnie Hellequin » – en français moderne « la maisonnée », ou fratrie du même nom – mieux vaudrait qu'il rengaine son incrédulité.
Un roman envoûtant comme les contes racontés à la veillée où il n'est pas interdit de lire une métaphore de notre présent. Une performance.

Extrait

Adamsberg réunit la totalité de son équipe dans la grande salle de conférences, dite salle du chapitre, selon la dénomination érudite de Danglard. Avant de quitter sa maison, il avait aggravé sa blessure au menton en la frottant avec un tampon à vaisselle, striant sa peau de zébrures rouges. Très bien, avait apprécié Zerk, qui avait mis l'ecchymose en valeur avec du mercurochrome voyant.

Il lui était désagréable de lancer ses agents à la vaine poursuite de Mo, alors qu'il le savait installé à sa propre table, mais la situation ne laissait aucun choix. Il distribua les missions et chacun étudia sa feuille de route en silence. Son regard parcourut les visages de ses dix-neuf adjoints présents, sonnés par la situation nouvelle. Retancourt seule avait l'air secrètement amusée, ce qui l'inquiéta un peu. L'expression consternée de Mercadet relança son picotement dans la nuque. Il avait attrapé cette boule d'électricité en fréquentant le capitaine Emeri, et il faudrait la lui rendre tôt ou tard.

Résumé

Pointe-Noire, capitale économique du Congo, dans les années 1970. Le narrateur, Michel, est un garçon d'une dizaine d'années qui fait l'apprentissage de la vie, de l'amitié et de l'amour, tandis que le Congo vit sa première décennie d'indépendance sous la houlette de « l'immortel Marien Ngouabi », chef charismatique marxiste. Les épisodes d'une chronique familiale truculente et joyeuse se succèdent, avec ses situations burlesques, ses personnages hauts en couleur : le père adoptif de Michel, réceptionniste à l'hôtel Victory Palace ; maman Pauline, qui a parfois du mal à éduquer son turbulent fils unique ; l'oncle René, fort en gueule, riche et néanmoins opportunément communiste ; l'ami Lounès, dont la sœur Caroline provoque chez Michel un furieux remue-ménage d'hormones ; bien d'autres encore. Mais voilà que Michel est soupçonné, peut-être à raison, de détenir certains sortilèges...

L'armée furieuse

Fred Vargas, *L'armée furieuse*, Viviane Hamy, 2011, p.137

Demain j'aurai vingt ans

Alain Mabanckou, *Demain j'aurai vingt ans,*
Édition Gallimard, 2010.

No et moi

Delphine de Vigan, *No et moi*, le Livre de Poche, p. 155 -156

Extrait

Lucas m'écrit des petits mots en classe, il les plie en deux et les glisse devant moi. *Awful!* quand la prof d'anglais porte une jupe bizarre avec des franges et des perles en bas, *Qu'il aille se faire foutre...* parce que Monsieur Marin lui a collé un énième zéro, *Où est le gnome ?* parce que Gauthier de Richemont est absent (un garçon qui n'est pas très beau et qu'il déteste depuis qu'il l'a dénoncé à la Principale un jour où Lucas fumait dans les toilettes). En français, il reste tranquille, même quand on fait de la grammaire, c'est le cours où je suis la plus attentive, je déteste qu'on me dérange, je me concentre pour ne pas en perdre une miette. Madame Rivery me donne des devoirs spéciaux, c'est comme un jeu de logique ou de déduction, un exercice de dissection sans scalpel et sans cadavre.

Ceux qui croient que la grammaire n'est qu'un ensemble de règles et de contraintes se trompent. Si on s'y attache, la grammaire révèle le sens caché de l'histoire, dissimule le désordre et l'abandon, relie les éléments, rapproche les contraires, la grammaire est un formidable moyen d'organiser le monde comme on voudrait qu'il soit.

Quel extrait et quel résumé correspond à chacun des titres ?
Écrivez la première phrase de chaque texte.

Titre	Résumé	Extrait

ACTIVITÉ 16

La famille Barrière, le père, la mère et deux adolescents (une fille de 14 ans et un fils de 16 ans) ont décidé d'aller passer deux semaines de vacances dans les Pyrénées-Orientales du 7 au 21 juillet. Ils désirent faire du camping à Argelès-sur-Mer mais loger dans un mobil-home. Ils souhaitent être le plus près possible de la plage mais aussi d'Argelès afin de ne pas avoir à se servir de leur voiture trop souvent. Ils aimeraient un camping bien aménagé, avec piscine. Les enfants comptent sur l'accès Internet/wifi et le fils aime jouer au volley. Madame Barrière apprécierait la présence d'un restaurant avec possibilité de plats à emporter. Monsieur Barrière voudrait louer un mobil-home pour 4-6 personnes (sa sœur passera peut-être un week-end avec eux) confortable et bien équipé. Il s'est fixé un budget de 850 € en moyenne par semaine pour cette location.

Fin février, deux campings ont retenu l'attention de Monsieur Barrière.

Activités Court de tennis, aire de jeux pour enfants, tennis de table, installations pour barbecue.
Le Camping La plage propose de nombreuses activités sur place comme le basketball et le volleyball. Des équipements pour enfants sont également prévus y compris une pataugeoire et une aire de jeux. En été, le mini-club accueille les enfants entre 4 et 12 ans.

Services Restaurant, bar, journaux, jardin, terrasse, chambres non-fumeurs, accessible aux personnes à mobilité réduite, chauffage, boutiques dans l'hôtel, snack-bar, blanchisserie, location de vélos, équipe d'animation, service de navette (en supplément).

Informations et suppléments
Une **connexion Wi-Fi** est disponible dans les parties communes au tarif de 2,50 EUR par heure.

Camping La plage

Description À 800 mètres de la plage, ce village de vacances avec piscine extérieure et court de tennis est situé à Argelès-sur-Mer. Les cottages disposent d'une terrasse privée.
Situé sur la côte méditerranéenne, le Camping La plage est situé à 5 km du centre ville d'Argelès-sur-Mer et à 25 km de Perpignan. En été, un service de navette est disponible pour se rendre au centre ville d'Argelès-sur-Mer et à la plage.
Piscine extérieure (de saison) et piscine couverte avec pataugeoire, sauna hammam, bains à bulles et salle fitness.

Mobil-home pour 4-6 personnes

- 1 chambre avec 1 lit 2 personnes
- 1 chambre avec 2 lits 1 personne
- 1 couchage convertible pour 2 personnes dans le salon
- Salle d'eau - WC séparés
- Coin cuisine avec réfrigérateur
- Micro-ondes

Les Plus : Terrasse bois intégrée semi-couverte.

Tarif : 862 € la semaine

Camping La plage

Camping *Le Poséidon*

À 500 m de la plage. Superficie 3,4 hectares, 1 km des commerces. Espace aquatique ouvert toute la saison.

Un parc aquatique paysagé (plage avec palmiers et solarium) :
○ un grand bassin de 200 m² chauffé à 26°C (profondeur max : 1,50 m - profondeur min : 1,20 m),
○ une pataugeoire (profondeur : 0,30 m), un toboggan aquatique.

Services
Toute la saison
Bar, restaurant glacier, plats à emporter, point presse, location de réfrigérateur et de barbecue (35 euros/semaine), accès Internet sur tout le camping.

Activités
Animations Juillet - Août

En journée : activités sportives.
En soirée : cocktails, concerts.

Services
Juillet-Août
○ Dépôt de pain et de viennoiseries.
○ Snack au niveau de la piscine, navette (tarifs préférentiels).

Enfants/Ados :
Mini-club 4-12 ans,
Rendez-vous ados 13-17 ans.

Informations et suppléments
○ Commerces ouverts du 15 mai au 10 septembre.
○ WIFI payant sur tout le camping (Internet dans votre locatif).
○ Les barbecues électriques sont interdits sur le camping.

Sports et loisirs : volley, pétanque, salle de jeux, aire de jeux pour enfants.

Mobil-Home
pour 4-6 personnes
1 séjour avec 1 banquette convertible 140 cm et 1 coin cuisine comprenant micro-ondes, réfrigérateur avec freezer, cafetière, ustensiles de cuisine, plaques de cuisson. 1 chambre avec 1 lit 140 cm, 1 chambre avec 2 lits 80 cm. 1 salle d'eau et toilettes indépendantes.

Tarif : 779,52 € pour la 1re semaine et 866,13 € pour la 2e.

a. Dans le tableau ci-après, cochez ce qui convient (C) et ce qui ne convient pas (NCP).

	Situation		Piscine		Restaurant		Plats à emporter		Volley		Wifi		Tarifs location	
	C	NCP	C	NCP	C	NCP	C	NCP	C	NCP	C	NCP	C	NCP
La Plage														
Le Poséidon														

b. Dans quel camping les Barrière vont-ils réserver ?

ACTIVITÉ 17

Vous avez invité des amis à dîner et comptez leur servir de la blanquette de veau.
La question du vin se pose. Les spécialistes vous diront que pour la blanquette de veau,
on privilégiera un vin blanc en premier lieu, mais que toutefois, un vin rouge assez « rond »
fera également l'affaire. Votre préférence va plutôt vers un vin « fruité ». Votre budget
ne peut dépasser 12,00 €.

Observez les fiches des différents vins.

Vins blancs

Loire
Sancerre blanc 2008

Propriétaire :
Philippe de Benoist
de Gentissart

Château du Nozay
18240 Sainte-Gemme-en-Sancerrois
Cher, Centre, France

Entièrement élevés en cuves inox, les vins
du Domaine de Nozay expriment la fraîcheur
et la vivacité de leur terroir et présentent
un corps franc et rond, doté d'une grande
élégance et d'une belle longueur.
Le sancerre s'accorde parfaitement avec
les poissons d'eau douce comme le sandre
ou le brochet, mais aussi un feuilleté de
saumon ou de Saint-Jacques, saumon fumé,
truite fumé, homard, langouste, mousses
de poissons, cuisse de grenouilles, sur les
fromages de chèvre tel le crottin de Chavignol
ou le Saint-Maure.

Prix : *10,00 € TTC* la bouteille

Alsace
Pinot gris 2010

Propriétaire :
Domaine Vincent Stoeffler,
Barr

Ce Pinot Gris est
représentatif du cépage dont il est issu.
Très fruité (arômes de fruits confits),
légèrement fumé, il se présente riche
en bouche avec une finale fraîche.
Ce vin, à consommer dès maintenant,
mais pouvant se garder de 3 à 8 ans,
accompagnera admirablement
tout un repas, de l'apéritif au
fromage, et sera idéal avec
les poissons en sauce et
les viandes blanches.

Prix : *7,40 € TTC* la bouteille

Sud-Ouest (Dordogne)
Montbazillac 2006

Propriétaire :
Domaine de Montlong

Millésime 2006, ce vin blanc
Monbazillac du Domaine
de Montlong a obtenu
la médaille d'or 2008 au
Concours Général Agricole.
Ce vin liquoreux, élégant en bouche
développe des arômes de fruits mûrs.
Idéal en apéritif ou en dessert, accompagne
également le foie gras, les fromages à pâte
molle, les fromages bleus.

Prix : *12,00 € TTC* la bouteille

http://www.nicolas.com

Vins rouges

Côtes du Rhône
Les Abeilles de Colombo 2010

Jean-Luc Colombo, vigneron et œnologue à Cornas, révèle à travers ses
vins les plus beaux terroirs de la Vallée du Rhône et de la Méditerranée.
*« Je souhaite que chaque verre soit un hymne aux plaisirs simples et
forts de la vie : la nature, la table, le partage ».*

Les Abeilles sont à l'image de ces petites créatures ! Gourmandes par le
Grenache, sérieuses par le Mourvèdre et puissantes par la Syrah ! Un vin
plein de vie, des fruits rouges à savourer sans prétexte !

Goût fruité et charnu. Niveau de garde. Peut être conservé.

Alliances mets et vin :
Un vin de plaisir qui s'accordera parfaitement avec
des grillades d'agneau, de porc et même de thon,
de la charcuterie et des fromages frais.

Prix : *9,90 € TTC* la bouteille

Beaujolais
Brouilly 2009

Un vin de caractère au nez frais de cassis avec
des notes fumées, de réglisse. Un délice accompagné
d'un lapin rôti à la moutarde.

Alliances mets et vin :
viandes blanches, agneau, fromages doux.

Prix : *18,00 € TTC* la bouteille

http://www.nicolas.com

//

a. Pour chacun des vins et pour chacun des critères proposés, cochez (X) la case
« convient » ou « ne convient pas ».

	Sancerre		Pinot gris		Montbazillac		Côtes du Rhône		Brouilly	
	Convient	Ne convient pas	Convient	Ne convient pas	Convient	Ne convient pas	Convient	Ne convient pas	Convient	Ne convient pas
Viande blanche										
Fraîcheur										
Vin fruité										
Prix										

b. Quel vin allez-vous choisir ?

....

_____

ACTIVITÉ 18

Sur les conseils de leur médecin, Marie et Pierre, tous deux retraités, ont décidé de faire
une cure thermale. Pierre commence à souffrir de rhumatismes et Marie a souvent de
la sinusite et des angines. Ils recherchent une ville thermale aux thermes très bien équipés,
où l'on soigne les voies respiratoires mais aussi les rhumatismes. Ils aimeraient une ville
au climat doux, sec et ensoleillé, proche de la montagne car Pierre aime faire des balades,
mais si possible près de la mer également car Marie aime beaucoup se baigner, se reposer
et lire sur la plage. Ils aimeraient enfin que la région offre de nombreuses possibilités
d'excursions ou de visites variées, pas trop chères.

Ils ont consulté les sites des villes thermales de la Chaîne Thermale du Soleil
et en ont retenu deux. //

Gréoux-les-Bains · Rhumatologie · Voies respiratoires

La station · Le thermalisme à Gréoux remonte à l'Antiquité ; dès
le Ier siècle, les Romains s'installent à proximité de la source
d'eau chaude et l'endroit devient rapidement un lieu dédié à la
santé. Après une longue période d'oubli, les Thermes sont relan-
cés à la fin du XVIIe siècle [...] Depuis 1962, la Chaîne Thermale
du Soleil a repris ces lieux et y a reconstruit les Thermes à leur
emplacement primitif.

 [...] Aux portes du Parc Naturel Régional du Verdon, Gréoux
bénéficie d'un microclimat qui rend la vie agréable et les accents
plus ensoleillés.

Les bonnes raisons de choisir cette station

• Des Thermes troglodytiques d'esprit celte et romain, qui offrent un très large éventail de soins dont certains exclusifs, tels que le bain de boue en apesanteur.

• L'Option « Service Premier » pour faire de votre cure un moment privilégié et ultra-confortable (Espace réservé, linge de luxe, tisanerie Bio…)

• Espace Fitness, Consultations diététiques et Spa thermal [...]

Les thermes • Au cœur d'un beau parc, les Thermes de Gréoux, abritent 28 000 m² de secteurs de soins sur 2 étages, desservis par des ascenseurs.

Votre parcours de soins est étudié afin de faciliter vos déplacements.

Au cœur d'un village provençal, vous bénéficiez de tous les services et pour plus de confort, la navette thermale gratuite vous dépose devant l'établissement à moins que vous ne stationnez votre véhicule en face de l'établissement sur le parking arboré privé.

Se divertir • La Haute-Provence est à vous, avec ses maisons colorées, sa douceur et sa population si chaleureuse. Profitez-en pour découvrir villages perchés, lacs, gorges (Verdon, Trévans, Oppedette), marchés vivants, odoriférants, typiques d'un art de vivre méridional.

Empruntez le parcours de santé le long du Verdon, au cœur de cette nature authentique, nichée entre les Gorges du Verdon et le Lubéron. Dans le vieux village de Gréoux, le château des Templiers est une autre étape incontournable. Les éternels étudiants ne manqueront pas non plus le musée de la Préhistoire, à Quinson, l'observatoire et son télescope à Saint-Michel de l'Observatoire ni l'architecture typique en pays de Forcalquier. Les lacs d'Esparron et de Sainte Croix séduiront les amateurs de sports d'eau. Les plus audacieux pourront même se lancer dans le vol à voile ou le parapente.

http://www.chainethermale.fr

Amélie-les-Bains • Rhumatologie • Voies respiratoires

La station

• En Pays Catalan, aux portes de l'Espagne, cette station citadine, située à la latitude de Rome, a définitivement le goût du soleil en partage. Épanouie le long de la rivière entre Méditerranée et contrefort des Pyrénées, la vivante cité d'Amélie-les-Bains combine, avec un accent souriant, air pur et microclimat, douceur des températures et ciel lumineux. [...]

• Un site entre mer et montagne
• Un climat sec et très ensoleillé

Les bonnes raisons de choisir cette station

• De nombreuses activités culturelles et sportives. Cures spécifiques, mini-cures à thèmes, ateliers, activités complémentaires... les Thermes d'Amélie sont très dynamiques et vous permettent de vous offrir une cure optimale.

• Un accès facile et presque gratuit à tous les sites du département avec le bus à 1 € du Conseil général.

Les thermes • Les Thermes Romains, bâtis sur des bains antiques sont ouverts le matin et consacrés au Service Premier. La voûte classée et la belle piscine restaurée en salle de repos laissent l'imagination planer en ces lieux sacrés.

Les Thermes Mondony parient sur une architecture contemporaine avec ses vastes structures et bénéficient de toute l'expérience acquise au fil des années pour vous faire profiter de ses équipements perfectionnés dans des conditions exceptionnelles de confort et d'efficacité.

Se divertir · À 30 km de la Méditerranée, séparée par la chaîne des Albères, au sud des derniers contreforts du Canigou, Amélie-les-Bains, qui en 2005, a obtenu le label « station verte de vacances » se trouve proche de tout. Elle propose des sentiers pédestres menant à des sites panoramiques comme le lieu-dit du Drapeau ou le village de Montbolo. Une autre promenade vous conduira aux pittoresques gorges du Mondony.

Aux alentours… les plus Beaux Villages de France

Partez découvrir de pittoresques villes et villages et toutes les promenades que vous offre la double proximité de la montagne et de la mer.

http://www.chainethermale.fr

a. Dans le tableau ci-après, cochez ce qui convient (C) et ce qui ne convient pas (NCP) aux souhaits de Marie et Pierre.

	2 types de soins		Climat		Montagne et mer		Thermes		Excursions	
	C	NCP	C	NCP	C	NCP	C	NCP	C	NCP
Gréoux-les-Bains										
Amélie-les-Bains										

b. Quelle station vont-ils choisir ?

....

ACTIVITÉ 19

Au début de l'automne 2011, les vide-greniers et les brocantes vont bientôt se faire moins nombreux car il va faire de plus en plus froid. Pour sa dernière brocante de l'année, Nicole hésite entre celle de St-Rémy en Rollat et celle de St-Didier la Forêt. Elle ne veut pas payer plus de 2 € le mètre pour son emplacement, mais elle voudrait surtout pouvoir le choisir et le réserver pour ne pas être obligée de se lever très tôt. Elle veut aussi pouvoir déjeuner sur place.

Observez les affichettes des deux brocantes et les deux premiers articles du règlement de la première.

(Voir les documents page suivante)

Organisée par le Comité de Jumelage de Saint REMY en ROLLAT

BROCANTE
St REMY en ROLLAT

Dimanche 02 Octobre 2011

Renseignements et Inscriptions
06.10.67.43.79 / 09.50.17.69.10

Installation à partir de 6h00

Emplacement à 2€ le mètre linéaire
Accès par la rue de la gare (Balisage)

- Place de l'église (Réservé aux gros volumes)
- Rue Valgreghentino
- Place des tilleuls
- Une partie de la côte Minon
- Rue de la gare
- Parking de la salle des fêtes

BROCANTE DU COMITE DE JUMELAGE DE SAINT REMY EN ROLLAT

Règlement

Art 1 - Cette manifestation est réservée aux professionnels brocanteurs et aux particuliers suivant la réglementation en vigueur (art L310-2 et L110-1 du code du commerce).

Art 2 - Les emplacements seront occupés dans l'ordre d'arrivée des exposants et leur attribution ne donnera lieu à aucune discussion. Seuls les emplacements situés Place de l'église (réservés aux gros volumes), rue Valgreghentino, Place des Tilleuls, une partie de la côte Minon, rue de la gare et le parking de la salle des fêtes sont réservés aux brocanteurs. Tout autre emplacement situé en dehors de la zone définie ci-dessus sera déclaré illicite (arrêté municipal) et pourra faire l'objet d'une intervention de la gendarmerie.

ST DIDIER LA FORÊT

DIMANCHE 9 OCTOBRE 2011

16ème **Brocante Vide-Greniers**
Emplacement 2€ le mètre
L'emplacement sera réservé jusqu'à 8h
À partir de 12h possibilité de déjeuner sur place

Organisé par «Le Comité des Fêtes»
Pour la réservation des emplacements téléphoner
au : 04 70 41 40 44 (HR) - 04 70 41 44 93 (HR)

BARBECUE - FRITES
SANDWICHS - BUVETTE

a. Dans le tableau ci-après, cochez ce qui convient (C) et ce qui ne convient pas (NCP) à ce que souhaite Nicole.

	Prix		Heure		Réservation		Déjeuner	
	C	NCP	C	NCP	C	NCP	C	NCP
St-Rémy en Rollat								
St-Didier la Forêt								

b. Quelle brocante fera Nicole ?

ACTIVITÉ 20

Vous désirez abonner votre neveu à un magazine scientifique, mais vous ne vous y connaissez pas très bien.
Vous recherchez un mensuel de vulgarisation qui traite de l'environnement, de l'économie et du développement durable. Son prix ne doit pas dépasser 5 €.

Deux revues ont retenu votre attention. Observez leur couverture et leur description.

Qu'est-ce que *Terra eco* ?
Un savant mélange de journalisme indépendant «à la française», de curiosité pour le monde dans lequel nous vivons et de vulgarisation de l'économie et des enjeux du développement durable.

Terra eco, le média du développement durable

▶ **Le constat**
L'économie, le social et l'environnement sont une des clés pour comprendre à la fois le monde dans lequel nous vivons et les enjeux du développement durable. Mais la presse économique, sociale ou environnementale est trop complexe et peu attrayante.

▶ **Notre réponse**
Terra eco met l'économie, le social et l'environnement à portée de tous, avec des articles de fond, un ton moderne et des angles nouveaux.
Terra eco remet l'Homme et l'environnement au cœur de l'économie. Car l'économie est au service de la société, et non l'inverse. *Terra eco* contribue à la citoyenneté en incitant les lecteurs à se saisir des grands enjeux du développement durable : social, environnement, mondialisation, changement climatique.
Terra eco est un magazine mensuel diffusé en kiosques partout en France.

Prix : 4,90 €

http://www.terraeco.net

Environnement & Technique est un magazine mensuel français de presse écrite créé en mars 1980. Il est aujourd'hui l'un des principaux magazines francophones de presse professionnelle sur le management et les techniques de l'environnement.
Il est édité par la Société alpine de Publications, filiale du groupe DPE.
Environnement & Technique traite de l'environnement et du développement durable (eau, déchets, énergies, air, sols, biodiversité, communication environnementale, éco-conception, etc.), de l'évolution des marchés éco-industriels, du management de l'environnement dans l'entreprise et dans les collectivités, de veille technologique, de veille réglementaire et jurisprudentielle.
Sa spécificité vient du fait qu'il est pour moitié réalisé par des journalistes spécialisés, l'autre moitié étant rédigée par des professionnels de l'environnement, tous experts de leur domaine, ce qui confère au magazine une forte valeur documentaire.
Il s'adresse principalement aux ingénieurs et techniciens chargés de l'environnement dans les entreprises ou les collectivités, ainsi qu'à leurs fournisseurs de solutions du secteur éco-industriel. Il intéresse également les milieux étudiants, chercheurs et enseignants spécialisés en environnement, ainsi que tous les services administratifs concernés de l'échelon local et européen.
Environnement & Technique publie chaque année dix numéros ainsi que deux hors-série dédiés au développement durable.

Prix : 5,40 €

http://fr.wikipedia.org

D comme... DELF

//

*a. Pour chacun des magazines, et pour chacun des critères proposés, cochez (X)
la case « convient » ou « ne convient pas ».*

	Terra eco		Environnement et technique	
	Convient	Ne convient pas	Convient	Ne convient pas
Ouvrage de vulgarisation				
Mensuel				
Traite de l'environnement				
Traite de l'économie				
Traite du développement durable				
À portée de tous				
Prix				

b. Quel magazine allez-vous choisir ?

....

ACTIVITÉ 21

Depuis des années, vous rêviez de faire « La Loire à vélo ». Comme vous êtes retraité(e),
vous avez enfin le temps pour réaliser ce projet.
Avant tout, il vous faut un vélo. Oui, mais lequel choisir ? Un vélo tout chemin, un vélo
à assistance électrique ? Ou un vélo polyvalent ?
Vous partez pour une quinzaine de jours et il faut que vous puissiez transporter vos bagages
sur votre vélo.
Vous souhaitez qu'il ait au moins 21 vitesses.
Vous devrez prendre le train pour revenir à votre point de départ. Il faut donc penser
au poids du vélo !
Son prix ne devrait pas dépasser 500 €.

Observez les trois vélos et leurs caractéristiques. //

Vélo Tout Chemin

Les vélos Tout Chemin, aussi appelés VTC, sont des vélos polyvalents. Ils sont aussi à l'aise en ville que sur les petits chemins de campagne, et donc parfaits pour ceux qui veulent faire de petites balades et s'échapper de temps en temps des centres villes. Ils permettent également de faire des randonnées de plusieurs heures ou, selon l'équipement, des voyages en autonomie complète.

Riverside 5 b'twin

POLYVALENCE
Roues de 28 pouces. Garde-boue. Porte-bagages arrière pouvant accepter des sacoches pour la pratique du trekking. Éclairage dynamo intégré dans le moyeu n'occasionnant pas de frottement donc silencieux.

CONFORT
Potence réglable et orientable pour ajuster au mieux votre position sur le vélo. Selle bi-densité ultra confortable.

EFFICACITÉ
Cadre en aluminium léger, rigide et maniable. Transmission Shimano 24 vitesses. Fourche suspendue réglable. Existe en version femme et en version homme.
Poids : 16,3 kg

Prix : **299,95 €**

Vélo Polyvalent

Aussi à l'aise sur la route que sur les chemins, à la ville comme à la campagne, la gamme de vélos polyvalents sera la plus appropriée pour vos petits trajets et balades.

ORIGINAL 5 Night & Day b'twin

À l'aise partout, de jour comme de nuit !

POLYVALENCE
Transmission 21 vitesses, béquille, porte-bagages DMS *(Decathlon Modular System)* permettant de positionner très facilement et en toute sécurité sur votre vélo différents accessoires. Pneus mixtes.

CONFORT
Fourche suspendue et selle gel pour un excellent confort de pilotage. Cadre aluminium 6061 abaissé, potence réglable en hauteur et orientable.

EFFICACITÉ
Décorations réfléchissantes pour une visibilité de jour comme de nuit. Moyeu dynamo Shimano permettant un éclairage permanent sans piles.
Poids : 16,9 kg (en taille M)

Prix : **299,95 €**

Vélo Électrique

Conçu pour faciliter les déplacements urbains à vélo sur tous dénivelés avec une autonomie moyenne de 25 km.

B'eBIKE 7

FACILITÉ D'UTILISATION
Fonctionnement simple et intuitif, le moteur se met en route grâce au pédalage et se coupe au freinage. 25 km environ d'autonomie moyenne (45 km maxi, suivant poids et dénivelé). Dérailleur 6 vitesses Shimano.

CONFORT
Position étudiée pour apporter un confort de conduite optimal. La potence est réglable en fonction de l'usage.

ÉQUIPEMENT
Moteur intégré au moyeu arrière robuste et puissant (250 W). Roues 28 pouces, garde-boue, béquille, carter de chaîne, porte-bagages intégré au cadre. Éclairage relié à la batterie. Taille unique (roue de 28")
Poids : 25 kg

Prix : **749,95 €**

Decathlon, *Guide cycle automne/hiver 2011.*

a. Pour chacun des vélos et pour chacun des critères proposés, cochez (X) la case « convient » ou « ne convient pas ».

	RIVERSIDE 5 b'twin		ORIGINAL 5 Night & Day b'twin		B'eBIKE 7	
	Convient	Ne convient pas	Convient	Ne convient pas	Convient	Ne convient pas
Convient pour des voyages						
Porte-bagages						
Éclairage						
Nombre de vitesses						
Poids						
Prix						

b. Quel vélo allez-vous choisir ?

//

ACTIVITÉ 22

Avec des amis, vous allez faire un séjour en Bretagne. Avant de partir, vous aimeriez encore acheter un guide touristique. Mais lequel ? Vous vous intéressez à la culture, à l'histoire et la géographie de la région. Quelques-uns de vos amis voudraient des adresses de bons petits restaurants, rencontrer des gens du pays et faire de la voile. Vous cherchez également des hôtels pas chers et des activités culturelles. Le prix du guide ne doit pas excéder 15 €.

Observez la description des deux guides. ////////////

Guide du Routard Bretagne Sud

Le routard *Bretagne Sud,* c'est toujours des adresses souvent introuvables ailleurs : déguster un bon brochet au beurre blanc arrosé d'un muscadet sur la levée de la Divatte, dormir et sortir à bon prix ; des visites culturelles originales en dehors des sentiers battus ; des infos pratiques remises à jour chaque année ; 30 cartes et plans détaillés. Avec le *Routard,* tracez votre propre route ! Rencontres, découvertes, activités, culture et environnement, gastronomie, géographie, histoire, vous y trouverez tout !

620 pages · Prix : 13,20 €

http://www.amazon.fr

Lonely Planet Bretagne Sud

Un chapitre entièrement dédié au nautisme, écrit par une spécialiste : comment débuter la voile, où pratiquer le surf, où faire du kayak de mer, les astuces à connaître sur les vents, etc. Des interviews de Bretons hauts en couleur : un peintre sur l'île de Sein, un pêcheur, un restaurateur de vieux gréements... Une couverture géographique qui comprend aussi Nantes et une partie de la Loire atlantique. Un cahier couleurs spécial sur les activités : la randonnée, la plongée, la voile, etc. Un index éco-touristique : chambres d'hôtes en pleine nature, produits bios, etc. Pour chaque chapitre, une sélection des meilleures activités pour enfants dans la région.

456 pages · Prix : 14,90 €

Vous pouvez acheter le guide entier ou sélectionner uniquement le ou les chapitres qui vous intéressent pour une somme allant de 1,50 € à 4,00 € grâce à l'offre «Pick&Mix, le guide Lonely Planet à la carte». Et... grande nouveauté : le guide existe en version numérique !

a. Pour chacun des guides et pour chacun des critères proposés, cochez (X) la case « convient » ou « ne convient pas ».

	Lonely Planet		Guide du Routard	
	Convient	Ne convient pas	Convient	Ne convient pas
Activités culturelles				
Hôtels pas chers				
Gastronomie				
Rencontre avec des Bretons				
Histoire et géographie				
Nautisme				
Prix				

b. Quel guide allez-vous choisir ? ....

ACTIVITÉ 23

La famille Mercier est à Lyon. Ils ont visité Fourvière, sa Basilique, les théâtres romains et le musée gallo-romain. Cet après-midi, ils ont décidé de poursuivre leur visite de la ville, chacun de son côté choisissant ce qui l'intéresse le plus. Les parents aimeraient en savoir plus sur la soie et sa fabrication et, si possible, découvrir les fameuses traboules. Ce projet intéresse beaucoup leur fille Marion de 12 ans. L'aîné, Gérard, âgé de 16 ans, fait collection de vieux billets de banque, d'images et d'affiches. Il s'intéresse particulièrement à tout ce qui touche à l'histoire. Depuis longtemps, il fait partie d'un club de théâtre qui utilise souvent des marionnettes dans ses spectacles. La grand-mère, qui adore les fleurs, les plantes et les arbres, voudrait faire une promenade avec Nanou, sa petite-fille de 6 ans qui aimerait aller dans un jardin d'enfants.

Voici quelques lieux où ils pourraient se rendre.

Musée de l'imprimerie

Au cœur de la presqu'île, dans un beau bâtiment Renaissance, le Musée de l'imprimerie déroule la fabuleuse histoire du livre, de l'image et de l'édition, de Gutenberg au numérique. Après un parcours semé de documents rares, de machines et d'objets, vous ne verrez plus jamais le livre et l'imprimerie comme avant.

Horaires et tarif · Ouvert du mercredi au dimanche de 9 h 30 à 12 h et de 14 h à 18 h. Gratuit jusqu'à 26 ans. Adulte : 5 € (tarif réduit : 3 €). Accueil enfants.

Parc de la tête d'or

Le Parc de la Tête d'Or, avec ses 117 hectares, est le plus grand parc de France à se trouver au cœur d'une ville. Son nom vient de la tradition selon laquelle un trésor avec une tête de Christ en or y aurait été enfoui. Dès ses débuts en 1856, le parc présente la même configuration qu'on lui connaît aujourd'hui, son lac et ses rives, ses immenses allées aux arbres centenaires, sa partie zoologique et botanique. Le parc de la Tête d'Or ravira petits et grands par son cadre magique.
De multiples occasions (promenade, jogging, pêche, buvettes, carrousels, poneys, bateaux pour enfants, voitures à pédales, etc.) s'offrent à vous pour venir apprécier, seul ou en famille, ce parc exceptionnel.

Horaires et tarif · Entrée gratuite
Ouvert de 6 h à 23 h du 1er avril au 30 septembre (jusqu'à 21 h le reste de l'année)

La Maison des Canuts

Conservatoire vivant des savoir-faire lyonnais pour le travail de la soie, la Maison des Canuts est un lieu incontournable, le seul à présenter l'évolution du tissage sur les métiers à bras. La collection de matériels et d'archives permet de retracer le rayonnement technique, social et créatif, qui contribue à la richesse de la soierie lyonnaise depuis 5 siècles. Au cours d'une visite commentée, venez découvrir l'invention de Jacquard illustrée par des démonstrations de tissage sur métiers à bras, le cycle du ver à soie, l'apport social des canuts au XIXe siècle et la réalité de l'industrie textile rhônalpine au XXIe siècle.

Horaires et tarif · Ouvert du lundi au samedi de 10 h à 18 h. Visites individuelles à 11 h et 15 h 30. Visites sur rendez-vous pour les groupes.
Tarifs : 6,50 €/adulte, 3,50 €/scolaires et étudiants. Gratuit jusqu'à 12 ans.
Visite Maison des Canuts + Traboules de la Croix-Rousse : 11 €/adulte.

Traboules des pentes de la Croix-Rousse

Traboules signifie « passer à travers ». Les pentes de la Croix-Rousse sont tissées de ces passages. Leur réseau a été utilisé par les canuts durant les révoltes ouvrières du XIXe siècle et par les résistants en 39-45. Ici, il y avait aussi le sanctuaire romain où a été suppliciée Blandine. Ici aussi, on a les plus belles vues sur la Saône et le Rhône. Beaucoup de raisons de parcourir ces traboules…

http://www.petitfute.com

//

Les musées Gadagne

Situé au cœur du Vieux-Lyon, l'ensemble Gadagne est un magnifique édifice Renaissance abritant deux musées :

● *Le musée d'histoire de Lyon*

Grâce à une approche synthétique, allant de la capitale des Gaules au XXIe siècle, ce musée est un lieu ressource pour cerner la ville, dans toutes ses composantes : urbanistiques, économiques, sociales, politiques, culturelles…

● *Le musée des marionnettes du monde*

Ce musée détient une collection de plus de 2000 marionnettes du monde entier et plus d'un millier de décors,

castelets, costumes, accessoires, affiches, programmes et manuscrits. Le musée accueille également des marionnettistes contemporains dans le petit théâtre de Gadagne ou sur son audioguide !

Horaires et tarif · Du mercredi au dimanche de 11 h à 18 h 30.
Un musée : 6 €, tarif réduit : 4 €.
Deux musées : 8 €, tarif réduit 6 €.
Gratuit pour les moins de 18 ans, les étudiants de moins de 26 ans, les demandeurs d'emploi et les personnes en situation de handicap.
Audioguides gratuits pour les deux musées et la visite de l'édifice Gadagne.

http://www.petitfute.com

a. Dans le tableau ci-après, cochez ce qui convient (C) et ce qui ne convient pas (NCP) pour chaque membre de la famille Mercier.

	Musée de l'imprimerie		Maison des Canuts		Les traboules		Le parc de la Tête d'or		Les musées Gadagne	
	C	NCP	C	NCP	C	NCP	C	NCP	C	NCP
Parents et Marion										
Grand-mère et Nanou										
Gérard										

b. Où vont-ils aller ?

....

ACTIVITÉ 24

La mère de Brigitte va avoir 50 ans dans quelques jours. Brigitte ne peut malheureusement pas aller fêter son anniversaire avec elle car elle est en stage et ne peut s'absenter. Brigitte décide de lui faire envoyer un bouquet de 50 roses, roses, la couleur préférée de sa maman. Elle consulte trois magasins de fleurs en ligne pour faire sa commande. Elle cherche à avoir le plus beau bouquet, si possible en plusieurs tons de roses, le moins cher possible également, y compris la livraison.

Observez les bouquets vus sur Internet par Brigitte.

Bouquet «Tendresse» de Foliflora	Bouquet «Tendresse» de Aquarelle	Bouquet «Rose bonbon» des Fleurs de Nicolas
50 roses, roses, même ton	50 roses, roses, mélangées	50 roses, roses différentes
Prix : **33 €**	Prix : **29 €**	Prix : **39,75 €**
Livraison : **9,90 €**	Livraison : **10 €**	Livraison : **10 €**

a. Dans le tableau ci-dessous, cochez ce qui convient (C) ou ne convient pas (NCP) à ce que souhaite Brigitte.

	Couleur		Prix du bouquet		Prix de la livraison	
	C	NCP	C	NCP	C	NCP
Bouquet « Foliflora »						
Bouquet « Aquarelle »						
Bouquet « Fleurs de Nicolas »						

b. Quel bouquet va choisir Brigitte ?

//

ACTIVITÉ 25

Il reste encore quelques jours de RTT (Réduction du Temps de Travail) à Caroline et elle veut
en profiter pour faire un stage de 2-3 jours. Elle aimerait rencontrer des gens et loger dans un endroit
calme, si possible dans une chambre d'hôtes. Elle est souvent obligée de recevoir les collègues
de son mari et elle ne supporte pas la chaleur. D'autre part, elle aimerait apprendre quelque chose
qui pourra lui servir.

Lisez les descriptifs des deux stages. //

Chambres d'Hôtes de Charme en Basse-Normandie
entre Vimoutiers et Orbec
4 chambres avec salle de bain

Cours « Le savoir-vivre et les usages dans notre vie courante »

Pour des groupes de 4 à 8 personnes, la propriétaire
organise sur place des cours informels et amusants
sur les thèmes de l'Art de recevoir, d'organiser un
dîner chez soi sans s'épuiser, préparer un menu et
choisir les vins, dresser correctement une table, placer ses invités, servir...
– Recevoir chez soi et au restaurant.
– Que faire quand on est reçu pour des vacances chez des amis ou à l'hôtel ou en
chambre d'hôtes, comment se comporter en public, au restaurant...
– Comment s'habiller et dans quelles circonstances...
– Le problème des cadeaux...
– La manière d'utiliser Internet et le portable...
– Les gaffes à éviter et cent autres trucs et astuces pour réussir dans sa vie sociale.

Exercices pratiques : préparation et déroulement d'un dîner « in situ », sortie dans un restaurant avec une puissance «invitante» dont le rôle est joué par l'un des participants...

Cours par demi-journée organisés sur un ou deux jours.

http://www.vacancesfrance.com

Stage d'été - Aquarelle et croquis de voyage

Stage dans la campagne aixoise et dans le Luberon. Chaque jour de
10 h à 16 h, nous allons sur un site différent pour étudier différentes
facettes de l'aquarelle et du croquis de voyage, chaque jour donc
une nouvelle approche.

Pendant le pique-nique, nous échangeons nos expériences. À la
fin de la semaine, une mini expo et un pot permettent de voir les
progrès de la semaine.
Stage débutants et confirmés.

Hébergement : L'office de tourisme d'Aix-en-Provence propose un
vaste choix de locations meublées ou de chambres d'hôtes pendant
les mois d'été.

Les dates : du 1er au 4 juillet
du 5 au 8 juillet

· · · · · · · · · · · *Réservez dès maintenant votre place !* · · · · · · · · · · ·

http://www.academielibre.com

a. Pour chacun des stages, et pour chacun des critères proposés, cochez (X)
la case « convient » ou « ne convient pas ».

	Cours « Le savoir-vivre et les usages dans notre vie courante »		Stage d'été aquarelle et croquis de voyage	
	Convient	Ne convient pas	Convient	Ne convient pas
Chambre d'hôtes				
Possibilité de rencontrer des gens				
Climat				
Durée du séjour				
Utilité pour la vie de tous les jours				

b. Quel stage Caroline va-t-elle choisir ?

II **Analyser le contenu d'un document d'intérêt général**

ACTIVITÉ 2

Les poules débarquent en ville

Élever un gallinacé sur son balcon permet de disposer d'œufs frais et sains toute l'année

Tendance

Claire est une Parisienne qui a bien de la chance. Non contente d'habiter un rez-de-chaussée avec cour privative et jardin derrière la butte Montmartre, la jeune femme a le privilège, chaque matin, de pouvoir récolter un œuf frais au saut du lit. Car depuis six mois, elle est l'heureuse propriétaire d'une poule naine. *« J'avais envie d'un retour à la nature,* explique-t-elle. *Et puis cela me rappelle mon enfance. »* Ses voisins n'ont pas tiqué[1]. Au contraire. *« Leurs enfants sont ravis de nous rendre visite ! »,* se réjouit-elle.

Avec sa poule en plein Paris, Claire passe encore pour une originale. Mais pour combien de temps ? L'élevage de gallinacés en ville gagne du terrain. Les jardineries Truffaut ont vendu plus de 20 000 poussins et poules pondeuses ou d'ornement à des particuliers en 2011. *« L'activité basse-cour a augmenté de plus de 50 % cette année »,* précise Pierre-Alain Oudart, chef de produit. *« Elle connaît un grand succès dans tous nos magasins en zone périurbaine. »* Cela se confirme à Toulouse, Aubagne et Amiens, mais également autour de la capitale, à Herblay (95) aux abords du Stade de France, à Saint-Denis (93).

En deux ans d'existence, l'entreprise alsacienne Éco-poules a écoulé suffisamment de poulaillers en kit pour abriter 30 000 gallinacés : *« Nous nous attendions à toucher des milieux plus ruraux »,* observe Stanislas de Beaumont, son fondateur. *« Mais c'est en ceinture parisienne que nous avons le plus de clients. Et 80 % de nos ventes se réalisent sur Internet. »* De fait, sur le Web, on voit fleurir les échanges d'accros de la crête, soucieux d'offrir un habitat cosy[2] à Poupoule (200 euros pièce en moyenne). Et les fabricants d'abris rivalisent d'idées pour se distinguer sur un marché concurrentiel où dominent les produits à bas coût importés d'Asie. L'argument économique ne semble pas prioritaire : produire des œufs moins chers sur son balcon qu'en batterie[3] relèverait de l'exploit. En général, écologie et retour au naturel sont mis en avant.

Ainsi, Éco-poules vante ses structures en bois local et renouvelable et promeut l'appétit féroce des bêtes à plumes pour les restes de cuisine. *« Une poule peut consommer jusqu'à 200 kg par an de déchets organiques. Or la loi Grenelle 1 va imposer de les recycler à 45 % en 2015 »,* n'hésite pas à avancer Stanislas de Beaumont. Les fientes[4], elles, peuvent même enrichir l'engrais du potager…

D'autres, malins, parient aussi sur le design, comme Pousse Créative, la jeune société qui a fourni à Claire le petit habitat esthétique et éco-conçu où niche son gallinacé. Une cabane dont on peut choisir la couleur, avec un espace grillagé pour s'ébattre, une jardinière sur le toit où planter fleurs et aromatiques pour l'aspect campagne en ville, et dont l'entretien est facilité par un tiroir amovible. *« Un peu de litière, un nettoyage par semaine et il n'y a pas d'odeurs »,* assure Claire.

[…] Crainte de la malbouffe[5], rejet des élevages industriels, souci pédagogique ou simple compagnie : ce qui pousse jeunes parents et retraités à craquer pour la cocotte n'est guère différent en France et aux États-Unis, où la tendance est née.

[…] En France, certains règlements municipaux ou de copropriété peuvent poser leur veto. Mais, de manière générale, les poules en petit nombre sont considérées comme des animaux domestiques, au même titre que les hamsters.

Michel Audureau, grand connaisseur et auteur de *Et si j'élevais une poule,* à paraître aux éditions Terre Vivante en janvier 2012, conseille toutefois de bannir[6] le coq et ses tonitruants réveils (la poule n'en a pas besoin pour pondre). Puis de veiller au bien-être animal. *« Une poule a besoin de picorer, il lui faut de la terre et un minimum de surface. Difficile donc de l'installer sur un balcon, d'autant qu'elles sont sensibles au froid. »* Les amateurs d'œufs choisiront une poule rousse ou une Marans et, pour des coques bien dures, lui serviront des céréales. Quand on veille au grain, Poupoule le rend bien !

Christine Taconnet,
Le Monde, 29 décembre 2011.

1. Manifesté leur désapprobation, leur mécontentement.
2. Confortable.
3. Élevage industriel.
4. Excréments des poules, des oiseaux.
5. Mauvaise alimentation, nourriture.
6. Rejeter, exiler.

Répondez aux questions.

1 • Le sujet de ce texte est :
   a. ☐ L'amour des citadins pour les poules
   b. ☐ L'invasion des villes par les poules
   c. ☐ La nouvelle tendance d'élever des poules en ville
   d. ☐ Les règles à observer pour élever des poules

2 • En dehors de Paris, dans quelles villes observe-t-on ce phénomène ? ....

3 • Qui sont les acheteurs de poules et d'abris ? ....

4 • Comment s'effectuent plus de trois quart des ventes ? ....

5 • Quels sont les arguments des fabricants d'abris pour les vendre ? Cochez la (les) réponse(s) possible(s).
   a. ☐ Avoir des œufs moins chers
   b. ☐ Le retour à la nature
   c. ☐ Recycler les déchets organiques
   d. ☐ Faire des engrais avec les fientes

6 • Relevez deux mots qui caractérisent des abris. ....

7 • Quelles sont les raisons données par les acheteurs ? Relevez les mots du texte.
....

8 • Où cette tendance est-elle née ? ....

9 • Quels sont les conseils donnés pour réussir cet élevage ? ....

ACTIVITÉ 3

La résidence alternée demeure une exception

Depuis son divorce il y a quatre ans, Alain ne voit ses deux enfants que les week-ends, les mercredis et une partie des vacances. Comme l'immense majorité des pères divorcés, il n'a pas obtenu la résidence alternée, un système de garde qui permet aux enfants d'un couple séparé de vivre en alternance chez l'un et chez l'autre parent. En France, seuls 15 % des pères obtiennent ce type de garde. Depuis 2002, la loi autorise la coparentalité mais la mesure est rarement appliquée dès lors que l'un des deux parents s'y oppose. Après huit ans de vie commune et deux enfants, la femme d'Alain décide de le quitter pour vivre une vie plus indépendante. Sur la seule base d'un accord verbal, ils s'entendent pour une garde alternée : une semaine chez l'un, une semaine chez l'autre. Après dix mois chaotiques[1], le père est averti par courrier que son ex-compagne met fin à leur accord et demande la garde exclusive de leur garçon et de leur fille. Un an plus tard, un tribunal rend son jugement : Alain ne verra plus ses enfants que dans le cadre du « droit de visite et d'hébergement », soit un week-end sur deux et la moitié des vacances. S'ensuivent quelques épisodes houleux de leur relation. Un retard ou un empêchement pour déposer les enfants et le parent lésé dépose plainte à la gendarmerie : pour la forme et en pure perte. Les tribunaux, engorgés, ne traitent pas ce genre d'affaires, considérées moins urgentes. ►

///

« Ne voir ses enfants que les week-ends et lors des congés n'est pas normal, estime Jacques Colleau, président de l'association SOS Papa qui défend l'idée de la résidence alternée. *Les enfants passent moins de 20 % de leur temps avec leur père alors qu'une garde partagée permettrait à chaque parent de voir leurs enfants à part égale. »* Son association milite pour un changement de philosophie : *« À l'heure actuelle, il faut que ce soit les deux parents qui demandent le temps partagé. Si ce n'est pas le cas, les juges donnent l'avantage à la mère. Ce que l'on demande, c'est que la résidence alternée soit le principe de base et non plus l'exception et que celui qui s'y oppose ait à motiver son refus. »* La garde partagée ne va toutefois pas sans poser de problèmes. Un éloignement géographique rend, tout de suite, la situation beaucoup plus compliquée. Jacques Colleau nuance : *« Il faut bien distinguer le déménagement véritable, lié à un changement d'emploi par exemple et le déménagement provoqué, qui n'a pour but que d'éloigner l'enfant du père. »* Il met aussi en garde contre le *« syndrome d'aliénation parentale »,* aussi appelé SAP, qui consiste à « salir » l'image de l'autre parent auprès de l'enfant, et fait remarquer que *« le phénomène n'est pas toujours volontaire. »*

La séparation provoque parfois des changements d'attitude radicaux. Alain décrit son ex-compagne comme une *« femme moderne et progressiste »,* aux accents féministes et qui ne se laissait pas marcher sur les pieds. *« On partageait les tâches ménagères même si elle en faisait quand même plus que moi »,* se souvient-il. Quand elle lui demande la garde exclusive de leurs deux enfants, elle explique que les deux enfants ont davantage besoin d'une maman que d'un papa. *« Un argument qu'en d'autres temps elle aurait combattu »,* affirme Alain. Aujourd'hui, le père a perdu tout espoir d'obtenir un jour le sésame de la garde alternée par un tribunal et bataille davantage pour une extension de son droit de visite […].

Arthur Frayer, article du *Monde* paru dans *Matin Plus,* 24/11/2011.

1. De grands désordres.

Répondez aux questions. ///

1 ● Qu'est-ce que la résidence alternée ? ....

....

2 ● Pourquoi y a-t-il peu de cas de résidence alternée ? ....

....

3 ● En quoi consiste le droit de visite et d'hébergement ? ....

....

4 ● Qu'est-ce que « SOS Papa » ? Qu'est-ce que cette association réclame ? Pourquoi ? ....

....

5 ● Quels sont les problèmes de la garde partagée ? ....

....

6 ● Qu'est-ce que le SAP ? Expliquez le sigle et reformulez la phrase du texte. ....

....

ACTIVITÉ 4

POLLUTION ## Ces plastiques que l'on jette à la mer

Produit de l'activité humaine, le plastique est un matériau incontournable de notre quotidien. Nous en produisons chaque année 100 millions de tonnes. Cette profusion devient problématique.

En 1492, Christophe Colomb découvrait l'Amérique. Cinq cents ans plus tard, le capitaine Charles Moore se retrouve par hasard au beau milieu d'un nouveau continent flottant dans l'océan Pacifique. Des « terres » sur lesquelles il est impossible d'accoster et de se promener. Mais qui en aurait envie ? Car il s'agit bien d'une gigantesque accumulation de déchets plastiques !

En 2007, une nouvelle expédition confirme la découverte : située à 1 000 kilomètres de San Francisco, sur une superficie de près de six fois celle de la France, cet amas de détritus est constitué d'environ 750 000 morceaux de plastique par kilomètre carré. Baptisée «Grande plaque de déchets du Pacifique», cette zone concentre des milliards de débris de toutes tailles sur une épaisseur de 10 à 30 mètres : une soupe bien peu ragoûtante[1].

Tous les océans contaminés ?

Depuis 50 ans, ces déchets plastiques ont été fragmentés par les vagues, puis piégés par les courants marins, avant de s'accumuler dans cette région sous l'effet de ce que l'on appelle le «Tourbillon du Pacifique nord».

Or, les cinq océans de la planète présentent de telles zones tourbillonnaires. Et les mauvaises surprises s'enchaînent : en février 2010, la Sea Education Association révèle l'existence d'une plaque de déchets similaire dans l'océan Atlantique. Couvrant une surface équivalente à la France et l'Angleterre réunies, elle est épaisse d'une dizaine de mètres.

En juillet 2010, l'expédition MED (Méditerranée en danger) réalise une série de prélèvements dans la couche supérieure de la mer Méditerranée. Les premières estimations sont confirmées par l'IFREMER : les quinze premiers centimètres de cette mer contiendraient des centaines, sinon des milliers de tonnes de plastique. Visible en surface, cette pollution est également un problème de «fond».

Un impact sur la vie

Dernière découverte en date : en janvier 2011, la fondation de Charles Moore (Algalita) récolte plusieurs dizaines de milliers de morceaux de plastique par kilomètre carré dans l'océan Antarctique ! Premier maillon de la chaîne alimentaire en milieu marin, le plancton nourrit les plus petits organismes, qui seront mangés à leur tour par les plus gros. Ces derniers peuvent éventuellement finir dans nos assiettes. Mais d'après la fondation Algalita, on trouve en moyenne six fois plus de plastique que de plancton sur ces «nouveaux continents»! Pour le monde animal, difficile de faire la différence. Aussi estime-t-on qu'au moins un tiers des poissons de ces eaux ingère[2] massivement des particules plastiques, sans compter les dizaines de milliers d'oiseaux marins qui périssent chaque année, l'estomac rempli de ces matériaux indigestes.

Au regard de ce bilan épouvantable, la seule option consistant à nettoyer les océans semble irréaliste. Malgré tout, depuis 2009, le projet américain « Kaisei » rassemble des équipes de scientifiques, de marins et de passionnés de l'océan autour d'un objectif commun : trouver le moyen de récupérer les plastiques flottants et d'en assurer le recyclage. Ce pourrait même être une source de carburant...

En espérant que ce ne soit pas encore une nouvelle bouteille (de plastique) jetée à la mer.

Équipe scientifique de Vulcania,
La Montagne Centre France,
Magdimanche, 27/11/11.

1. Appétissante.
2. Avale

D comme... DELF

///

Répondez aux questions. //

1 ● **Quel est le thème général de ce texte ?**
   a. ☐ Les avantages de la fabrication massive du plastique
   b. ☐ L'importance du plastique dans la vie quotidienne
   c. ☐ Les conséquences de l'énorme production de plastique
   d. ☐ Des propositions pour la production de plastique

2 ● **Quelle découverte Charles Moore a-t-il faite et en quelle année ?**

3 ● **Donnez toutes les précisions relatives à la découverte de 2007 (noms, situation...)**

4 ● **Comment s'explique cet amas de déchets ?**

5 ● **En quoi consistent les deux découvertes de 2010 ?**

6 ● **Quel océan est également contaminé ?**

7 ● **Selon la fondation Algalita, quel danger présentent les particules de plastique ?**

8 ● **Reformulez la dernière phrase du texte pour en révéler le sens.**

ACTIVITÉ 5

Colocation, nécessité ou art de vivre ?

La colocation est un véritable phénomène de société. Jeunes actifs ou personnes âgées, tout le monde peut être concerné. Si l'aspect financier est souvent prépondérant [1], les adeptes de la cohabitation recherchent aussi plus de confort et une vie sociale enrichissante.

« *Viens chez moi, j'habite chez une copine...* » Un phénomène aujourd'hui loin d'être marginal, puisque 20 % des Français, et même jusqu'à 28 % des 25-34 ans, ont déjà essayé ce mode de vie [2]. Popularisé par le film *L'auberge espagnole*, il est désormais entré dans les mœurs. Plusieurs sites internet lui sont d'ailleurs consacrés.

Face à la hausse du coût de la vie, des loyers, et à la pénurie [3] de logements dans certaines agglomérations, la colocation a de l'avenir. « *C'est une nécessité financière avant tout* », confirme Jérémy, 27 ans, qui habite à La Rochelle. « *Ce sont les circonstances qui m'ont poussé vers la colocation. J'avais besoin d'indépendance, mais vu le prix des loyers et les cautions demandées...* »

Cette difficulté à joindre les deux bouts amène de nouveaux publics vers ce mode de logement alternatif : jeunes actifs, salariés au pouvoir d'achat rogné, retraités et adeptes de la vie en communauté. Il faut aussi compter avec les accidents de la vie (séparation, chômage...), qui conduisent à la colocation pour raisons économiques. Cohabiter permet en effet aux occupants de réduire leur part de loyer. Étudiants ou travailleurs saisonniers peuvent ainsi s'installer chez des personnes âgées, en contrepartie d'un loyer modique et de quelques ▶

1. Qui a le plus d'importance. – **2.** Source : colocation.fr – **3.** Le manque

services rendus. Ces initiatives permettent de développer une réelle solidarité et un dialogue entre générations.

Dépenser moins pour être mieux logé

Outre l'aspect économique, de nombreuses raisons permettent d'expliquer le choix de ce mode de vie. L'union faisant la force, la colocation permet d'accéder à un confort qu'on ne pourrait pas envisager en solitaire. 68 % des personnes interrogées[4] (sur un échantillon de 809 jeunes de 16 à 25 ans) estiment ainsi que c'est un moyen de dépenser moins pour être mieux logé. Oublié le studio minuscule, place aux grands espaces ! C'est aussi l'occasion de mener une vie sociale riche. Fini les longues soirées d'hiver passées seul devant la télé, et vive les sorties et soirées organisées entre amis. Enfin, vivre à plusieurs, c'est apprendre à accepter les défauts des autres et travailler sur soi-même. Pour tous ceux qui souhaitent franchir le pas, de nombreux sites Internet proposent des petites annonces dans ce domaine. Un nouveau concept vient également de naître : les rencontres express entre colocataires potentiels. Elles reprennent le principe des rendez-vous (*speed-datings*) organisés pour trouver l'élu de son cœur. Il s'agit là de mettre en relation ceux qui cherchent à partager leur future habitation et ceux qui souhaitent trouver le colocataire idéal. Pour l'instant, ce concept n'existe toutefois que dans les grandes agglomérations.

Pour une colocation réussie, mieux vaut bien se renseigner. La cohabitation peut en effet vite devenir un chemin de croix... D'abord il faut trouver un bailleur[5] qui accepte de loger plusieurs personnes sous un même toit. Si la pratique s'est démocratisée, elle n'est pas encore du goût de tous les propriétaires. Ensuite, si vous en avez la possibilité, emménagez avec une personne de votre entourage plutôt qu'avec un inconnu. Une colocation n'est viable à long terme que si l'on a un minimum d'affinités et des styles de vie assez proches. *« Il faut avoir des vies qui se complètent, mais on n'est pas marié avec son colocataire. »* [...] Une fois installé, il est préférable de fixer quelques règles de vie. Assurez-vous également que votre acolyte[6] a les moyens de régler son loyer. [...] Chacun doit avoir signé le contrat de bail et se retrouve donc considéré de fait comme cotitulaire du bail. De cette signature découlent plusieurs obligations juridiques : paiement du loyer et des charges, entretien des lieux. Le bailleur se doit, lui, de remettre un logement décent et de s'occuper des réparations à sa charge. [...] Enfin il convient que tous les résidents soient assurés au titre de leur responsabilité civile locative. Si ces formalités administratives ne vous font pas peur, sachez que 76 % des actuels ou ex-colocataires estiment que la colocation réserve *« beaucoup de bons moments »* au final. Alors, paré pour être acteur de votre propre *Auberge espagnole* ?

MAIFMAGAZINE, octobre 2011.

4. Étude TNS-Sofres, publiée en juin 2010. – 5. Celui qui cède le bail, le propriétaire. – 6. Complice, partenaire.

Répondez aux questions.

1 • Quelles sont les preuves du succès de la colocation ?

2 • Qui sont les adeptes de la colocation ?

3 • Pour quelles raisons choisissent-ils essentiellement ce mode de logement ?

4 • Quels sont les avantages de la colocation ?

5 • Comment peut-on trouver des colocataires ?

6 • Pour réussir une colocation, comment doivent être les colocataires ?

7 • Quelles sont les obligations du bailleur ?

8 • Quelles sont les obligations des colocataires ?

ACTIVITÉ 6

Lève-toi et marche !

Rester scotché[1] à son siège pendant des heures nuit à notre santé, selon des études dont s'alarment aujourd'hui les salariés américains. Alors, en France aussi, remuez-vous !

Mine de rien, à nous accrocher à notre fauteuil, nous grignoterions plusieurs années d'espérance de vie. C'est ce qu'affirment plusieurs études américaines et canadiennes. Qui trop s'assoit, disent-elles, aggrave ses risques de plusieurs cancers – du sein, du côlon, notamment – ou le développement de troubles cardio-vasculaires, assure ainsi l'AICR (American Institute for Cancer Research). C'est que nous passons un temps considérable sur notre postérieur. Aux États-Unis, en moyenne 60 % de la journée, 75 % quand on fait un travail de bureau. Or *«au bout d'un moment, on s'affaisse, c'est mauvais pour le squelette et la circulation sanguine»*, explique Jean-Pierre Zana, ergonome à l'INRS (Institut National de Recherche et de Sécurité pour la prévention des accidents du travail et des maladies professionnelles). Et puis, outre les pathologies graves, *«on va sans doute assister dans les années qui viennent à une explosion de l'épidémie de TMS – troubles musculo-squelettiques – liés à une trop grande sédentarité et au travail sur écran»*, estime un ergonome d'une entreprise du CAC 40.

En guise d'antidote, l'AICR préconise, outre les fameuses 30 minutes quotidiennes d'exercice, des pauses toutes les heures. Ne serait-ce que le temps d'un étirement, de quelques pas vers le bureau d'un collègue – au lieu d'envoyer un mail. *«Mais l'idéal*, estime Jean-Pierre Zana, *c'est de pouvoir changer de position au cours de la journée et, pourquoi pas, de travailler debout par moment.»* Pour cela, le nec plus ultra, c'est le bureau électrique. On appuie sur un bouton et hop, le plateau s'élève. Inhabituel mais efficace. *«C'est vrai qu'au début ça surprend un peu, mais c'est une position beaucoup plus confortable pour discuter au téléphone, ou encore participer à une petite réunion»*, explique par exemple Yves Julmi, cadre à la Poste suisse, qui est en train d'en doter près de 30 % de ses collaborateurs. Car en Suisse, mais aussi en Scandinavie, ce type de matériel entre dans les mœurs. Anne-Marie Solano, directrice opérationnelle chez Urgences Santé à Lausanne, raconte : *«Souvent, après le déjeuner, je me mets debout et je me sens non seulement mieux physiquement mais aussi plus concentrée, plus efficace.»* Aux États-Unis, une poignée de salariés dans la Silicon Valley chouchoutés par des sociétés du Net en disposent – « à titre expérimental », précise par exemple Google.

Nous n'en sommes pas encore là. Chez nous, l'heure est tout juste au siège ergonomique. Un marché *«en pleine progression»*, assure ainsi Caroline Steca, de chez Stellcase, un fabricant spécialisé. Mais ce n'est pas la panacée[2]. *«Les entreprises, pour des raisons évidentes de coût et de simplicité, achètent les mêmes sièges à l'ensemble de leurs salariés ; résultat, ils ne conviennent vraiment à personne»*, explique Jean-Pierre Zana. *«Je n'arrête pas de recevoir des salariés très grands qui ont mal au dos à cause de mobilier inadapté»*, confirme ainsi Béatrice, médecin du travail dans une banque. Et aux États-Unis, nombre d'entreprises, crise oblige, ne renouvellent plus leur équipement. Résultat, certains salariés se trouvent si mal assis, raconte une enquête du *«Wall Street Journal»*, qu'ils se décident à *«acheter leur propre fauteuil et à l'amener au bureau !»*. Bref, il faut avoir un bon siège... et savoir le quitter.

Véronique Radier,
Le Nouvel Observateur, 27/12/2011.

1. Collé.
2. Remède qui guérit tout, moyen qui résout tous les problèmes.

Répondez aux questions.

1 • **Reformulez la première phrase du texte pour en indiquer le sujet.** ....

....

2 • **Quels sont les risques d'une trop longue station assise ?** ....

....

3 ● Que faut-il au moins faire pour éviter ces risques ?

4 ● Quel type de mobilier est-il le plus recommandé ?

5 ● Que permet la position debout ?

6 ● Quel type de siège est utilisé en France ? Pourquoi ne convient-il pas ?

ACTIVITÉ 7

Les ados jouent à se faire peur

Harry Potter passe désormais pour un petit joueur. Les vampires suceurs de sang aussi.
Place aux univers post-apocalytiques, aux mondes parallèles, aux combats à mort, à la lutte pour survivre...
Hunger Games donne le ton de cette nouvelle littérature jeunesse.

Les accrocs à la jugulaire[1], la lutte simplette contre les forces du Mal, les romances fleur bleue... c'est bien gentil, mais plus vraiment vendeur. Désormais le public adolescent et les jeunes adultes plébiscitent la « dystopie ». Ou contre-utopie. En clair, au lieu de proposer un monde parfait, on sert le pire qui soit. Et pas des moindres. Tuer ou être tué, c'est la seule alternative laissée aux adolescents d'un jeu télévisé, « Hunger Games » (littéralement « Les jeux de la faim ») dans des États-Unis post-apocalyptiques.

Katniss, 16 ans, le personnage de Suzanne Collins, manie l'arc et la froideur. Son père est mort à la mine quand elle avait 11 ans, sa mère est alors tombée en dépression. Rien de bien réjouissant... Et voilà que sa petite sœur est sélectionnée pour « The Hunger Games ». Katniss décide alors de prendre sa place et d'entrer dans cette arène où les jeux sont funestes[2].

Le film adapté est attendu en mars, en même temps qu'un quatrième tome. Déjà 7 millions d'exemplaires vendus outre-Atlantique. *« Ça fait froid dans le dos mais c'est bon »*, confie Louise sur le site officiel français.

Des périls qui hantent l'inconscient

Cette mode de l'anticipation noire fait écho à George Orwell (*1984*), Aldous Huxley (*Le meilleur des mondes*), ou encore Ray Bradbury (*Farenheit 451*) et Barjavel (*Ravage*) où les héros se débattent dans une société manipulatrice et liberticide, instaurée après une catastrophe.

On a ajouté, entre-temps, un peu plus de romance, voire de sexe, de la fluidité, enlevé un peu de technique, et le tour est joué. La littérature jeunesse a désormais brisé ses derniers tabous. Dans la série, on trouve aussi les performantes *Chroniques de la fin du monde*, de Susan Beth Peffer, où un astéroïde s'apprête à se crasher

sur la Terre, menaçant toute l'espèce humaine. Rien que ça.

Les psychologues expliquent l'engouement[3] des adolescents pour ce courant par son adéquation avec leurs inquiétudes. Terrorisme, épidémies, bouleversements climatiques, dérives génétiques, chaos, surpopulation, surconsommation... La dystopie brosse le jeune adulte dans le sens de ses angoisses. Et s'avise de mettre en garde contre l'inconscience des hommes et leur égoïsme, tout en portant aux nues des valeurs comme le courage, l'entraide, le sacrifice.

Les adolescents, chargés de sauver ce monde en déperdition, ont finalement le beau rôle, se trouvant valorisés par leur volonté et leur lucidité. Une éditrice résume : *« C'est une manière de dépasser ses peurs et d'aller vers la construction d'un monde positif »*. Trash, mais éducatif...

Florence Chedotal,
La Montagne, 18/12/2011.

---

1. Veine de la gorge.
2. Qui portent le malheur, tragiques.
3. Emballement.

Répondez aux questions.

1 ● **Le sujet de ce texte est :**
    a. ☐ Le succès de Harry Potter
    b. ☐ Le succès des romans de vampires
    c. ☐ La littérature post-apocalyptique
    d. ☐ Les romances fleur bleue

2 ● **Qu'est-ce que la dystopie ? Que propose-t-elle ?** ....
....

3 ● **Sous quelle(s) forme(s) connaît-on « Hunger Games » ?** ....
....

4 ● **Pourquoi les jeunes aiment-ils ce genre de littérature ?** ....
....

5 ● **Ces œuvres d'anticipation noire :**

	Vrai	Faux	On ne sait pas
a. appartiennent à un genre littéraire nouveau			
b. placent le lecteur dans un monde idéal			
c. se déroulent après une catastrophe			
d. présentent toujours une histoire d'amour			
e. contiennent un peu de sexe et de romance			

6 ● **Selon les psychologues, qu'est-ce qui, dans le monde actuel, justifie le goût des adolescents pour ce genre de littérature ?** ....
....
....

7 ● **Quelles valeurs la dystopie prône-t-elle ? Contre quoi lutte-t-elle ?** ....
....

8 ● **En quoi cette littérature est-elle éducative ?** ....
....

//

ACTIVITÉ 8

La lithothérapie ou la santé par les pierres

Les pierres auraient-elles le pouvoir de soigner, à partir des vibrations qu'elles émettent ? C'est ce que revendique la lithothérapie. Réalité ou arnaque[1] ? Cette question divise partisans et opposants.

La lithothérapie, du grec *lithos* (pierre) et *therapia* (cure), est une médecine non conventionnelle qui prétend se servir de l'énergie naturelle des cristaux et des pierres pour rééquilibrer et réharmoniser l'organisme. Elle se base, avec justesse, sur les propriétés de la lumière. Depuis les travaux d'Isaac Newton, on sait que le soleil émet une lumière blanche, qui se décompose en couleurs chromatiques allant du violet au rouge, et que l'on voit dans l'arc-en-ciel ou à travers un prisme. Lorsque la lumière frappe un corps, animal, humain, végétal, minéral..., celui-ci absorbe une partie du spectre lumineux et réfléchit le reste, sous forme d'ondes électromagnétiques. Ces ondes sont captées par notre œil et donnent aux objets leur couleur, composite ou fondamentale. En renvoyant la lumière, tous les objets émettent donc une ou plusieurs vibrations, c'est-à-dire des ondes électromagnétiques, dans des longueurs situées entre 380 et 780 nanomètres. Les lithothérapeutes utilisent cette propriété de la lumière et de la couleur pour en déduire que cette vibration, émise par les pierres, a une influence bénéfique sur l'esprit, le corps et certains points du corps appelés Chakra, méridiens (en médecine chinoise) similaires à ceux qui sont utilisés en acupuncture.

À chaque pierre sa maladie

Pour eux, chaque pierre correspondrait à une maladie, physique ou psychique, dont la guérison ou l'amélioration dépendrait des propriétés des vibrations émises par la pierre. Pour être efficaces, les pierres, brutes ou polies, sont portées sur la peau sous forme de pendentif, de collier, de bracelet, tenues dans la main, posées sur les chakras, disposées dans une pièce sous leur forme brute ou taillées... ou encore, bues, en élixir! Cette dernière pratique doit être maniée avec précaution, pour éviter l'ingestion des métaux lourds présents dans certains minéraux. Dans un livre publié récemment aux Presses du Midi, Robert Blanchard tente une explication plus scientifique, reposant sur les échanges entre pierre et cellule, *via* les canaux ioniques (pores) transperçant la membrane des cellules. C'est à travers ces pores que les vibrations émises par la pierre viendraient normer les ondes perturbées d'une cellule vivante ou d'un organe. Il poursuit: «*La médecine traditionnelle cherche à agir en modifiant l'état chimique d'un organe malade; alors que la lithothérapie applique à celui-ci une pierre, dont l'action électromagnétique ou vibratoire vise à harmoniser l'énergie de cet organe, lui-même doté d'une longueur d'onde propre.*»

Placebo ?

Les puristes «apprécieront» l'explication pseudo-scientifique et traiteront la lithothérapie de charlatanisme. Quoi qu'ils en disent, la santé par les pierres a toujours accompagné l'humanité. Mais, en l'état actuel des connaissances, elle n'a pas encore fait la démonstration de son efficacité, même si les marchands vous assurent, main sur le cœur, qu'ils ont été sauvés de telle ou telle maladie par la magie des pierres. Reléguée au rang des croyances obscures, la lithothérapie peut indéniablement avoir un impact bénéfique sur la santé physique et mentale, *via* l'effet placebo. En vous persuadant, par exemple, que le quartz mobilise vos énergies, que la labradorite soigne les rhumatismes, que la topaze rose est porteuse d'espoir ou que l'opale stimule la réflexion et le sommeil... vous irez déjà mieux. Après tout, utiliser la pierre comme objet transitionnel au même titre que le «doudou» ou le «grigri», n'est pas dénué de sens. Il montre que l'esprit, la croyance ont du pouvoir sur le corps. Pour le reste, il ne faut jamais oublier de consulter un médecin.

Dominique Fonsèque-Nathan,
Côté Prado Mutuelle, n°14, décembre 2011.

1. Tromperie.
2. Œuvre d'un charlatan, personne qui trompe les gens en leur faisant croire qu'elle peut les guérir.

Répondez aux questions. //

1 • **À quelle question essaie de répondre ce texte ?** ....

....

//

2 ● Résumez en quelques mots sur quoi se base la lithothérapie.

3 ● Selon les litothérapeutes, comment les pierres peuvent-elles être efficaces ?
En prenant quelles précautions ?

4 ● Quelle explication plus scientifique pourrait être donnée à la lithothérapie ?

5 ● Quelle serait la différence entre les effets de la médecine traditionnelle et ceux de la lithothérapie ?

6 ● La santé par les pierres est-elle nouvelle ? Pourquoi doute-t-on de ses effets ?

7 ● Quel est le seul effet que l'on peut reconnaître à la lithothérapie ? En quoi consiste-t-il ?

ACTIVITÉ 9

Les Français paresseux au travail, une réputation usurpée

Selon une étude réalisée par Regus, la plupart des travailleurs français restent tard au bureau ou emportent du travail à leur domicile.

Depuis des décennies, on nous raconte que les Français ont un poil dans la main, leurs heures de travail étant largement inférieures aux autres pays européens. Le coq gaulois peut désormais chanter tranquille de bon matin : plus d'un Français sur deux travaille plus de 9 heures par jour et 83 % emportent du travail à domicile pour le terminer le soir. Regus, fournisseur mondial d'espaces de travail flexibles, a réalisé une enquête internationale sur les journées de travail des salariés. Loin des préjugés habituels, les collaborateurs hexagonaux semblent s'investir davantage au travail que leurs homologues internationaux.

Temps de travail plus long en PME

Ce n'est pas dans les grands groupes que l'on retrouve les plus « charrettes »[1] mais dans les PME, où l'on recense le plus grand nombre de « travailleurs intensifs ». Selon cette étude, les salariés des petites entreprises sont 60 % à déclarer travailler plus de 9 heures par jour, contre 48 % dans les grandes entreprises. Les télétravailleurs et les travailleurs itinérants ont également de plus longues journées que ceux qui sont dans les bureaux mais *« tout laisse penser qu'ils ressentent moins de pression dans leur travail*, souligne Frédéric Bleuse, directeur général de Regus. *Car ces actifs passent généralement moins de temps dans les transports, ce qui leur permet de dégager quelques heures supplémentaires pour leur activité professionnelle. »*

Frontière de plus en plus mince entre sphère professionnelle et privée

Menée au niveau mondial auprès de plus de 12 000 hommes et femmes d'affaires répartis dans 85 pays, cette étude souligne d'une manière générale l'allongement des journées de travail des Français. 42 % des actifs travaillent ainsi généralement entre 9 et 11 heures par jour, contre 38 % à l'échelle de la planète. De même, 14 % des collaborateurs français travaillent régulièrement 11 heures et plus par jour, contre 10 % à l'échelle mondiale. Et ils sont 46 % à emporter du travail à leur domicile plus de trois fois par semaine pour le terminer le soir, contre 43 % au niveau international. Une preuve que la frontière entre vie privée et vie professionnelle s'est très nettement étiolée[2]. Moralité : *« les entreprises qui permettent à leurs employés de travailler dans des locaux plus proches de leur domicile, et de gérer leur temps de façon plus autonome, peuvent atténuer la pression ressentie par le déséquilibre entre vie privée et vie professionnelle, et compter ainsi sur un personnel plus productif et plus impliqué »*, en conclut Frédéric Bleuse.

Sophie Peters, Latribune.fr

---

1. En retard pour rendre un projet, un travail ; débordés de travail. - **2.** S'est affaiblie, a rétréci.

Répondez aux questions.

1 • D'après le texte, que veut dire « avoir un poil dans la main » ?

2 • Jusqu'à l'enquête de Regus, sur quoi reposait la réputation de paresseux des Français ?

3 • Quelles données prouvent que les Français ne sont pas paresseux ?

4 • Qui a les plus longues journées de travail ?

5 • Pourquoi ces travailleurs sont-ils, semble-t-il, peu stressés dans leur travail ?

6 • Quels éléments prouvent le sérieux de l'enquête menée par Regus ?

7 • Quelle est la conséquence de l'allongement des journées de travail ?

8 • Comment les chefs d'entreprises pourraient-ils compter sur des employés plus productifs et plus impliqués ?

ACTIVITÉ 10

Les cartes de vœux : des origines à l'usage moderne

ORIGINES ET TRADITIONS

Tout commença avec les «Christmas cards»…

Désormais très répandue dans le monde entier, la tradition d'envoyer ses souhaits à l'occasion de la nouvelle année sur une carte de vœux est une pratique née en Angleterre au XIXᵉ siècle. Tout commença en Grande-Bretagne en 1840 avec l'apparition du premier timbre-poste qui facilita grandement l'échange de courriers. Peu après, la découverte du procédé de lithographie popularisa l'envoi des cartes de Noël, cartes en couleurs décorées de gui, de houx, de crèches ou encore de sapins enneigés. Les cartes de Noël, que l'on envoyait durant la période de l'Avent, avaient pour fonction de souhaiter un Joyeux Noël à son entourage, mais pouvaient, à l'occasion, servir également à envoyer ses vœux pour la nouvelle année. Ce qui d'ailleurs montre bien qu'il est possible de formuler des souhaits de bonne année avant la date fatidique du 1ᵉʳ janvier sans que cela soit considéré comme de mauvais augure.

Coutumes françaises…

La coutume anglaise se répandit dans toute l'Europe, et il devint de bon ton en France d'envoyer une «Christmas card». Cependant, tandis qu'en Angleterre et dans d'autres pays un glissement intervenait dans l'utilisation de ces cartes (qui devenaient progressivement des cartes de vœux pour souhaiter la nouvelle année), la coutume anglaise importée suivit en France une évolution sensiblement différente. En effet, il existait en France une coutume ancestrale aujourd'hui oubliée et dont ne subsiste que la tradition des étrennes : les visites du nouvel an. De façon tout à fait rituelle et formelle, on rendait visite, dans les quinze jours qui suivaient le 1ᵉʳ janvier, à son entourage proche, famille et amis, mais aussi à ses collègues de travail, à son patron, et même à des familles pauvres ou des malades dont on avait à cœur d'embellir ces jours festifs par des dons et des marques d'amitié. ►

Carte de visite remise au concierge

Cependant, ces visites obligatoires étaient perçues comme très contraignantes par beaucoup de gens. Or à cette époque, il était courant de s'abstenir d'une visite en laissant, pour preuve de son passage, une carte de visite. Lorsqu'elle était cornée en haut à droite, cela indiquait que l'on s'était déplacé soi-même pour la déposer, en signe de respect ou d'amitié. C'est ainsi qu'apparut l'habitude de remettre au concierge du domicile de ses proches le 1er janvier une carte de visite sur laquelle on avait écrit une formule de vœux.

Les lettres du nouvel an

Parallèlement à cet usage attesté par des manuels de savoir-vivre du début du XXe siècle, perdurait également la coutume ancestrale de l'envoi de lettres au moment de la nouvelle année. On profitait en effet du prétexte des vœux à souhaiter pour renouer des amitiés distendues, ou se rappeler au bon souvenir de connaissances éloignées géographiquement. La carte de vœux telle que nous la connaissons aujourd'hui, c'est-à-dire illustrée et comportant une mention de souhaits, devint peu à peu la meilleure alliée de ces deux pratiques. Vers les années 30, l'usage se perdit d'utiliser une carte de visite ou un papier à lettres pour écrire ses vœux, et la carte de vœux se répandit massivement.

http://lemag.dromadaire.com

Répondez aux questions.

1 ● Où et quand la tradition des cartes de vœux est-elle née ?

2 ● Qu'est-ce qui a été à l'origine des cartes de vœux ?

3 ● Dans quel but envoyait-on des cartes au moment de l'Avent ?

4 ● Pourquoi encore maintenant les gens ne présentent pas leurs vœux avant le 1er janvier ?

5 ● En quoi consistaient les traditionnelles visites du nouvel an en France ?

6 ● Par quoi ces visites ont-elles été remplacées ? Jusqu'à quand ?

7 ● Quelles sont les deux pratiques que l'actuelle carte de vœux rassemble ?

ACTIVITÉ 11

Twitter à l'école, quand Internet donne le goût de lire et d'écrire

Une forêt de doigts levés pour la lecture à haute voix et pour les exercices d'écriture… Seul Twitter suscite de telles réactions chez les enfants d'une école de Seclin, dans le nord de la France, l'une des premières du pays à utiliser le site de micro-blogging.

« Sur Twitter, il y a l'image, le son, mais ça ne leur enlève pas l'intérêt pour l'écriture, au contraire », sourit Céline Lamare, institutrice d'une classe pour des enfants de 7 ans de l'école privée de l'Immaculée Conception.

Depuis septembre, elle intègre aux cours des séances de « tweets », ces courts messages instantanés de 140 caractères maximum, parfois accompagnés de photos et de vidéos, que s'échangent les abonnés à Twitter. Chaque matin, l'institutrice allume le tableau interactif, sorte d'écran d'ordinateur géant connecté à Internet, qui remplace depuis la rentrée le traditionnel tableau noir. Les tweets d'autres classes, françaises, belges et canadiennes s'affichent. Presque tous sont volontaires pour les lire à haute voix.

La photo d'un paysage enneigé postée du Canada suscite l'enthousiasme des enfants, qui tentent de traduire la phrase en anglais qui l'accompagne.

« Pendant la journée, s'il se passe quelque chose d'intéressant sur Twitter, on prend dix minutes pour l'expliquer », si cela ne perturbe pas le fonctionnement normal de la classe, explique Mme Lamare.

Les enfants se mettent ensuite à rédiger des messages pour leurs correspondants, ou à leur préparer des dessins. Des activités très classiques pour des élèves de 7-8 ans, mais qui prennent une nouvelle dimension grâce à Twitter.

Twitter libère l'écriture

D'abord écrits à la main sur un cahier, les messages ne sont envoyés qu'une fois toutes les fautes d'orthographe corrigées. Des phrases simples et courtes (*« Bonjour, je m'appelle Élise, j'habite à Seclin et j'ai 7 ans »*), parfaites pour le micro-blogging. *« Les 140 caractères de Twitter correspondent très bien à leur niveau »*, explique Mme Lamare.

La classe entre ensuite en effervescence, le temps de taper les messages sur l'iPhone de l'institutrice, ou en salle informatique.

Twitter « donne du sens » aux apprentissages traditionnels, note Mme Lamare, car les élèves écrivent en pensant à ceux qui les liront. Même pour les élèves les plus en difficulté, *« Twitter permet de libérer l'écriture »*. *« On peut discuter avec d'autres classes, donc on s'applique plus »*, confirme Valentine, petite blonde au sourire canaille.

Les premiers projets scolaires liés à Twitter ont vu le jour il y a deux ans, au départ pour des lycéens. 124 projets, de l'école primaire (37) à l'université, sont désormais recensés par le site Twittclasses.

Loin de remplacer les cours, Twitter s'y « insère » très facilement, souligne Mme Lamare. Selon elle, le micro-blogging ne déconcentre pas les élèves, *« ce sont des "digital native" (natifs du numérique) ! Au contraire, quand il n'y a pas d'écran, ils n'écoutent pas. »*

Même à sept ans, les écoliers ne sont pas des novices du numérique. *« Il y a quelques années, j'aurais fait un cours pour maîtriser la souris, mais là pas besoin »*, constate l'enseignante. Presque tous ont Internet à la maison et amènent les photos destinées à Twitter sur une clé USB.

Quant aux parents, après une phase d'inquiétude liée à la mauvaise réputation des réseaux sociaux, *« ils parlent maintenant du plaisir des enfants à venir à l'école »*, assure Céline Lamare.

http://lemag.dromadaire.com

Répondez aux questions.

1 • Qu'est-ce qui, sur Twitter, renforce l'intérêt des enfants pour l'écriture ? ....

....

2 • Qu'est-ce qu'un « tweet » ? ....

....

3 • Qu'est-ce qui devient prétexte à la rédaction de messages par les enfants ? ....

....

4 • Comment s'effectue la rédaction des messages ? ....

....

///

5 • Qu'est-ce que Twitter apporte aux apprentissages traditionnels ? Distrait-il les enfants ?

6 • Qu'est-ce que Twittclasses ? Qu'y trouve-t-on ?

ACTIVITÉ 12

La petite histoire des prénoms

Depuis que les activités humaines, notamment les transports, sont influencées, voire perturbées par les catastrophes naturelles, notamment vers la fin du XVIIIe et début du XIXe siècle avec le développement des transports par voie maritime pour le commerce et la guerre, on a ressenti le besoin de distinguer chaque cyclone tropical, sans confusion possible.

Jusqu'au début du XXe siècle, les ouragans qui frappaient les îles espagnoles des Caraïbes étaient nommés selon le saint patron du jour. [...] C'est aussi vers la fin du XIXe siècle, qu'un météorologiste australien de renommée, Clément Wragge, décida de nommer les cyclones de sa région du nom de certaines personnalités politiques qui n'avaient pas l'heur[1] de lui plaire ; légende amusante ou exacte vérité, on ne sait vraiment. [...]

En tous cas, c'est toujours à cette époque que les marins de la flotte américaine, qui sont les véritables initiateurs de l'emploi de ces prénoms pour les phénomènes naturels, et notamment les cyclones, ont imaginé d'officialiser l'utilisation de l'alphabet phonétique pour les repérer. Cet alphabet était alors celui employé dans les services de transmission avec notamment : A comme ABLE, B comme BAKER, C comme CHARLIE, etc.

Mais de manière moins officielle, quoique très répandue, les « marines » ont rapidement pris l'habitude de personnaliser les dépressions ou tempêtes qu'ils rencontraient par d'autres noms ou prénoms. Si elles faisaient peu de dégâts et que le vaisseau et son équipage s'en sortaient bien, on lui attribuait rapidement le prénom de la « girl friend » (petite amie) de l'un, de l'épouse de l'autre. [...] Si la mer était démontée, les hommes malades, certains angoissés, le premier prénom féminin peu sympathique permettait alors de les baptiser... [...]

Ainsi l'usage des prénoms, le plus souvent féminins car donnés par des sociétés exclusivement composées d'hommes, les marins, a commencé à se généraliser dans les milieux des transmissions militaires de certains pays, là où la fréquentation des mers tropicales faisait parfois subir le passage de phénomènes cycloniques. Le principe de base était simple : donner aux cyclones tropicaux des noms courts et familiers, faciles à mémoriser [...] Et cette pratique fut bientôt couramment utilisée dans tout l'hémisphère occidental.

En 1949, on décida de l'officialiser dans la vaste zone atlantique et 1950 fut la première année où furent effectivement baptisés les cyclones de l'Atlantique et de la Caraïbe : la liste reprenait alors l'alphabet des transmissions en cours dans l'armée américaine. [...] Durant 3 années, la même liste fut reprise et on pensa vite à renouveler cette liste lassante. Les prénoms féminins furent donc utilisés, pour reprendre une habitude historique. [...]

Cependant, à la fin des années 70, il y eut un changement plus radical. En effet, les cyclones qui sont toujours des phénomènes naturels dangereux, dévastateurs et redoutés, ont aussi des comportements dans leur déplacement que certains jugent « fantasques » ou « capricieux », avec une façon d'« errer sans but », de « changer fréquemment d'avis », expressions jugées particulièrement désobligeantes par les mouvements féministes de l'époque. Ceux-ci, aux États-Unis, les fameux et actifs Women's Lib', s'en émurent, protestèrent énergiquement et ont alors obtenu que la liste des noms des cyclones tropicaux comprennent aussi des prénoms masculins.

C'est en 1979 que les listes, telles qu'on les connaît actuellement, furent créées. Les prénoms étaient alors alternativement masculins et féminins, rangés par ordre alphabétique, le premier de la liste annuelle commençant par A. Les années paires, le premier prénom est masculin [...] ; les années impaires, il est féminin. [...]   ▶

1. La chance.

Six listes ont été établies et sont reprises cycliquement tous les 6 ans. La liste de 2010 fut ainsi la même que celle de 2004 ; celle de 2011 reprend les prénoms de 1999 et 2005. Elle sera de nouveau utilisée en 2017.

Toutefois, lorsque, par sa violence, les victimes qu'il a entraînées, les dégâts provoqués, un cyclone a acquis un renom particulier et fâcheux, son nom est généralement retiré de la liste et remplacé par un autre du même genre et débutant par la même lettre.

www.meteo.fr

Répondez aux questions.

1 • Quels noms portaient les ouragans jusqu'aux premières années 1900 ?

2 • Qui a donné pour la première fois des prénoms aux cyclones ?

3 • Par qui et comment les prénoms féminins se sont-ils généralisés dans tout l'hémisphère occidental ?

4 • Quand et où cette pratique a-t-elle été officialisée ?

5 • Quel changement s'est produit en 1970 ? Pourquoi ?

6 • Comment les listes sont-elles établies depuis 1979 ?

7 • Quand un prénom est-il retiré d'une liste ?

ACTIVITÉ 13

Les cadeaux de Noël, plus attendus qu'utilisés

Des millions de cadeaux de Noël s'apprêtent à changer de mains, mais une partie d'entre eux ne sera pas conservée ou utilisée longtemps par leurs destinataires. Beaucoup seront revendus, échangés, voire stockés avec d'autres présents inutilisés. *« Il y a beaucoup d'attentes quand on offre un cadeau »*, indique la psychothérapeute Sylvie Tenenbaum, auteur de Ce que disent nos cadeaux.

Dans cet acte, il y a à la fois *« offrir, recevoir, et puis rendre »*. *« Quand on offre un cadeau, même si ce n'est pas* complètement conscient, on attend un remerciement, mais il y a aussi une attente beaucoup plus inconsciente, le retour. »

« Pour celui qui reçoit, l'attente est très forte », souligne Sylvie Tenenbaum. *« Si j'offre un cadeau qui correspond à la personne, elle va être très contente. Mais si je tombe à côté, elle va se dire : "Il/elle ne me connaît pas, ne me comprend pas, pourquoi il/elle m'offre ça ?" Il va y avoir une déception, souvent cachée derrière un sourire de convenance »*, ou *« un* autre cadeau raté »* lorsque le destinataire fera à son tour un présent.

Le cadeau de Noël est *« un cadeau obligé, mais qu'on peut prendre beaucoup de plaisir à faire »*, souligne-t-elle.

Pour les enfants, *« on ne le fait pas par obligation, on a envie de leur faire plaisir, qu'ils soient émerveillés. C'est pourquoi le marché du jouet se porte bien »*, indique Pascale Hébel, directrice du département consommation au Crédoc. *« Là où c'était une obligation sociale, et on voit que les choses bougent, ▶*

///

c'est pour les adultes. Ce qui se développe, c'est qu'on tire au hasard le nom de quelqu'un de la famille, et chacun fait un cadeau au lieu de dix. Comme il y a des limitations économiques depuis quatre-cinq ans, on va trouver de nouvelles façons de faire pour que ce ne soit plus une contrainte », explique-t-elle.

Sylvie Tenenbaum a demandé à ses patients ce qu'ils faisaient de leurs cadeaux de Noël.

« Il y en a qui ont une armoire pleine, mais qui sont dans l'affectivité et n'osent pas s'en séparer, et peuvent les ressortir quand la personne vient les voir, comme un vilain vase », indique-t-elle.

D'autres les donnent au Secours populaire, à la Croix-Rouge, etc., ou

bien les revendent sur internet pour s'offrir « le cadeau dont ils avaient envie », grâce à l'essor de sites comme eBay ou PriceMinister. […]

Les déceptions ont toujours existé, « mais elles s'expriment plus, elles sont beaucoup plus visibles parce qu'il y a ces phénomènes de revente », note Pascale Hébel, évoquant une « déculpabilisation ».

Y compris pour des cadeaux qui ont plu, mais dont on est venu à bout de l'usage : jeux vidéo, romans...

Si on se focalise plus sur l'usage que sur la possession, c'est aussi « parce qu'on a accumulé beaucoup d'objets. On achetait pour combler des manques affectifs », analyse Pascale Hébel.

Or c'est de plus en plus difficile de les

stocker, notamment pour les jeunes en milieu urbain qui ont moins de greniers ou de garages.

Certains sites Internet proposent aussi de mettre en location des cadeaux de Noël pendant qu'on ne les utilise pas, afin de les rentabiliser. Sur e-loue, le nombre de nouveaux objets a grimpé de 27 % l'année dernière la semaine après Noël.

Pour les enfants en revanche, il y a moins de déceptions, car ils font une liste.

« Le jour de Noël, les enfants jouent avec un ou deux jouets, ceux qu'ils attendaient le plus », selon Franck Mathais, porte-parole de La Grande Récré. […]

http://actu.orange.fr

Répondez aux questions. //

1 ● **Le sujet de ce texte porte sur :**
   a. ☐ les cadeaux que les gens espèrent recevoir
   b. ☐ les cadeaux qu'il faut offrir à Noël
   c. ☐ le plaisir que procurent les cadeaux
   d. ☐ ce que deviennent les cadeaux offerts à Noël

2 ● **Qu'espère la personne qui offre un cadeau ?** ....

....

3 ● **Quelle est la différence entre les cadeaux de Noël pour les enfants et pour les adultes ?**

....

4 ● **Qu'y a-t-il de changé depuis quelques années pour les cadeaux entre adultes ?** ....

....

5 ● **Que font les gens des cadeaux qui ne leur plaisent pas ?** ....

....

6 ● **Pourquoi l'usage du cadeau a-t-il changé ?** ....

....

7 ● **Pourquoi les enfants sont-ils moins déçus de leurs cadeaux que les adultes ?** ....

....

Mendiant, un dur métier

On ne les voit plus ou on les voit trop. Les plus jeunes ont à peine 20 ans et les plus vieux, parfois 80. Dans la rue ou dans le métro, ils mendient. [...] Certains ont appris un discours ou une rengaine et vous abordent sans complexe. D'autres se taisent, enfouis sous leur couverture ou cachés derrière leur panneau en carton. Pour quelques-uns, la manche[1] est devenue un mode de vie. Ceux-là, souvent, n'ont pas envie de revenir dans le monde des gens «normaux». Mais pour la plupart, il s'agit d'une activité provisoire qui permet juste de s'en sortir. [...]

Comme d'autres pratiques liées à la précarité[2] ou à la misère, la mendicité joue différents rôles pour la personne qui y a recours. Elle lui permet de faire des achats, payer ses factures, compléter ou remplacer les aides sociales, conserver une activité et une marge d'autonomie... Elle peut aussi avoir des effets négatifs : stigmatisation[3], honte, isolement, fatigue, usure physique et psychologique.

Premier enseignement d'une étude inédite [...], réalisée à Paris auprès de ceux et celles qui tendent la main pour survivre : la diversité des personnes pratiquant la mendicité rappelle celle des personnes en situation de précarité. Il n'existe pas de profil ou d'histoire type. Il ne s'agit pas forcément de sans domicile fixe. Une seule constante : une grande solitude affective et sociale. [...]

La mendicité ?
Un travail comme un autre

[...] L'étude retient quatre postures principales. La «priante» renvoie à une localisation et à une clientèle précises. Nommée ainsi parce qu'elle se déroule traditionnellement près des lieux de culte, cette forme de collecte est la plus passive et la plus statique. Plutôt âgés, parfois handicapés, les mendiants qui adoptent cette posture sont généralement porteurs de signes visibles de grande pauvreté. Leur attitude est marquée par la retenue, et c'est avec une certaine gravité qu'ils sollicitent l'aumône. Le « tape-cul » correspond à un type de manche où la personne est en position statique avec, posé devant elle, un panonceau en carton pour seule information.

[...] L'expression «à la volée» désigne une forme de don. Les passants jettent une pièce au mendiant en évitant tout contact. La quatrième posture, «à la rencontre», nécessite un discours plus ou moins élaboré. Le mendiant se met en scène devant un passant repéré comme donateur potentiel. L'échange verbal permet de développer une interaction plus longue et plus rémunératrice que les autres méthodes. Elle se pratique sur un territoire relativement restreint, qu'il s'agisse d'une rame de métro, d'une place publique ou du trottoir d'une rue commerçante. Bien entendu, ces différentes attitudes peuvent se combiner. [...]

La position debout manifeste la validité, *«à la capacité de résistance physique et psychique»*. À l'inverse, la position assise traduit une forme d'installation dans la durée. En outre, elle met la personne qui fait la manche en position d'infériorité par rapport au passant, qui la domine de toute sa hauteur. Aller *«à la rencontre»* suppose, du moins pour être efficace, un ensemble de compétences relationnelles, une maîtrise du langage parlé et des codes corporels de présentation de soi ainsi qu'une capacité d'adaptation aux différents interlocuteurs, qui sont le fait de personnes qui résistent à la désinsertion[4] et sont aptes à manifester qu'elles sont encore «dans le même monde» que le passant *lambda*[5]. À l'opposé, la mendicité en position couchée, ou en état d'endormissement, totalement passive, est bien celle des personnes installées «dans une désocialisation avancée». [...]

Toutes les enquêtes réalisées montrent que cette activité est loin d'être rentable. Pour faire bonne figure, ceux qui font la manche ont tendance à surévaluer leurs recettes. Pourtant, les plus performants récoltent rarement plus de 30 € par jour... au prix d'efforts à peine imaginables. Pour analyser l'efficacité des mendicités, les auteurs du rapport estiment qu'il faudrait, comme pour n'importe quelle autre activité, prendre en compte des critères de *«pénibilité physique et psychique»*: bruit incessant du métro ou de la circulation automobile, flux important des passants, effort permanent pour entrer en relation avec eux ou capter leur attention, agressions verbales, violences physiques, stress provoqué par l'insécurité... Pour la majorité de ceux qui font la manche, la recette journalière dépasse rarement les 10 €. De quoi s'acheter un sandwich, un litre de rouge et/ou un paquet de cigarettes.

La Vie, 12 mai 2011.

---

1. Mendier. - **2.** Situation d'une personne qui ne bénéficie d'aucune stabilité de travail ou de revenus.
3. Condamnation publique. - **4.** Fait de ne plus faire partie de la société, d'un groupe. - **5.** Quelconque, moyen.

Répondez aux questions.

1 ● **Quel est le thème général de ce document ?**
  a. ☐ la précarité
  b. ☐ la médiocrité
  c. ☐ la mendicité

2 ● **Il s'agit d'une activité provisoire. Que permet-elle ? Donnez quelques exemples.**

3 ● **Quelle est la seule caractéristique constante pour tous les mendiants ? Citez la phrase du texte.**

4 ● **Quels sont les effets négatifs de la manche ?**

5 ● **Caractérisez la posture dite « la priante » en quelques lignes.**

6 ● **Où se pratique la posture « à la rencontre » ?**

7 ● **Quels sont les critères de « pénibilité physique et psychique » ? Citez une phrase du texte.**

ACTIVITÉ 15

Causer plus blanc au café-laverie

A priori, le cadre n'est pas des plus accueillants : le café-laverie est situé en bord de route, à l'un des carrefours les plus passants de Rennes. Pour un peu, on passerait devant sans remarquer sa petite terrasse à moitié fermée, colorée par des parasols jaunes et des tables en mosaïque. [...]

Bienvenue aux *Chaussettes de l'archiduchesse*[1]. Ici, on peut laver son linge en buvant un verre, en lisant le journal, en regardant des photos d'art aux murs... Le café se veut un bar «tout en un». Chacun y fait ce qui lui plaît. Et le plus souvent, des rencontres. En terrasse, c'est l'heure de l'apéro. Attablés devant une mousse[2], Julien et Gunevel attendent que leur linge sèche. Respectivement photographe et urbaniste, ces deux jeunes hommes de 25 ans partagent depuis peu un appartement en colocation, mais n'ont pas encore de sèche-linge. «*Alors on vient ici,* expliquent-

ils, ravis. *C'est un lieu convivial. Les gens sont obligés d'attendre, donc au bout du compte, ils se rencontrent !*»

Dans la salle des machines, deux étudiantes en histoire de l'art papotent en épluchant des magazines féminins. «*Nous faisons nos lessives quand nous rentrons chez nos parents,* racontent-elles, *mais en cas d'urgence, nous venons ici. C'est génial d'avoir une laverie qui fait aussi bar. Au moins, on n'a pas à poireauter[3] dans un endroit morne et sans couleurs !*» C'est le moins qu'on puisse dire. Avec ses banquettes en skaï vert pomme, ses ▶

machines à laver rose acidulé, et ses piles de bouquins dans tous les coins, les *Chaussettes* rappellent plus les films d'Almodovar[4] que l'ambiance aseptisée des Lavomatic.

L'archiduchesse des lieux, c'est Céline. Veste en cuir rouge, bijoux en argent vieilli et cheveux attachés à la va-vite, c'est elle qui a fondé l'établissement il y a six ans. [...]. «*À cette époque, je fréquentais les laveries et, en attendant que mon linge sèche, j'allais boire un café dans le coin. Je me suis dit que ce serait sympa de réunir les deux. C'est propice à la rencontre : on a une demi-heure devant soi, on vient régulièrement, on se reconnaît... il est logique que des liens d'amitié se forment*», analyse-t-elle. Depuis, son projet a pris de l'ampleur. Aujourd'hui, en plus du coin laverie, le café compte une salle d'expo sur le côté et une friperie[5] à l'étage. Il organise des soirées jeux de société, une fois par semaine, des concerts le week-end et des tournois de baby-foot de temps en temps. [...]

«*Mais il y a aussi les voisins qui débarquent quand leur machine est en panne, les mamans qui viennent laver leurs couettes...*» Roger, le tout premier client de la laverie, est d'ailleurs un grand-père de 82 ans. «*C'est moi qui m'occupe de son linge*, précise Céline. *Lui, pendant ce temps, il raconte sa vie, chante des chansons de Tino Rossi[6]... Et, à chaque fois, il nous amène une boîte de chocolats !*»

Mélanie, Bertrand et Marc sont parmi les clients les plus réguliers des *Chaussettes de l'archiduchesse*. Ils n'ont pas le même âge, pas le même travail, mais se retrouvent tous les soirs. «*Nous venons toujours à la même heure. On se met à la même place et on cause*», déclarent-ils en riant. «*J'ai l'impression étrange d'être chez moi. C'est peut-être la déco, le côté informel et bordélique...*», confie Bertrand, architecte d'intérieur dans le quartier. «*C'est surtout Céline*», renchérit Marc, qui travaille dans la production audiovisuelle. «*Elle s'occupe bien de nous, elle n'est pas là pour faire du fric. Ici, tout le monde a sa place. Au comptoir, par exemple, il y a des petites tablettes à la hauteur des fauteuils roulants, pour que les personnes handicapées puissent s'attabler. C'est un détail, mais ça a du sens.*»

Céline voulait créer «le lieu le plus chaleureux possible». Visiblement, elle a réussi son pari. Au café-laverie, le Lavomatic reprend des airs de lavoir d'antan, où l'on se retrouvait autant pour discuter que pour laver. «*Mon arrière-grand-mère travaillait d'ailleurs au lavoir. Avec son battoir, elle lavait le linge de tout le village. Au fond, je fais le même métier qu'elle*», plaisante la jeune femme de 36 ans. Le linge sale est décidément une affaire de famille.

Sophie Tardyjoubert, *La Vie*, n° 3452, 27 octobre 2011.

1. Allusion au virelangue (groupe de mots difficiles à prononcer, assemblés dans un but ludique).
Ici : les chaussettes de l'archiduchesse sont-elles sèches et archi-sèches ?
2. Ici, une bière.
3. Attendre.
4. Cinéaste espagnol né en 1949.
5. Boutique où l'on vend des vêtements usagés.
6. Tino Rossi (1907-1983), de son vrai nom Constantin Rossi, né à Ajaccio (Corse) était chanteur et acteur français.
Sa chanson fétiche « Petit Papa Noël » qui date de 1946 est aujourd'hui encore une des chansons préférées des Français.

Répondez aux questions.

1 • Pourquoi dit-on que le cadre du café-laverie n'est pas des plus accueillants ?
Justifiez votre réponse en citant une phrase du texte.

....

....

....

2 • Qu'est-ce qui caractérise « Les chaussettes de l'archiduchesse » par rapport à un autre lavoir ?

....

....

3 • Est-ce que le café-laverie est un endroit morne et sans couleurs ? Justifiez votre réponse.

....

....

//

4 ● **Au café-laverie, on peut :**
    a. ☐ faire des rencontres
    b. ☐ faire garder ses enfants
    c. ☐ faire raccommoder son linge

5 ● **Le projet de Céline a pris de l'ampleur. Donnez 2 exemples.**

....

....

6 ● **Au comptoir il y a des petites tablettes à la hauteur :**
    a. ☐ des enfants
    b. ☐ des tables
    c. ☐ des fauteuils roulants

7 ● **Céline gagne beaucoup d'argent.**
    ☐ Vrai   ☐ Faux   ☐ On ne sait pas

ACTIVITÉ 16

CINÉMA   ## Intouchables - Les raisons d'un succès

D'abord, il y a les chiffres, exceptionnels, qui pointent allègrement vers les firmaments du cinéma : plus de 5 millions d'entrées en deux semaines. Mieux que *les Aventures de Tintin,* lancées pourtant dans un grand fracas médiatique et marketing. Et ce n'est pas terminé ! *Intouchables* est parti pour trôner en haut du box-office 2011.

Derrière ces chiffres, il y a aussi, à l'évidence, des spectateurs. Ce sont eux qui, par le bouche-à-oreille, font le succès du film d'Olivier Nakache et Vincent Toledano. Et pour Emmanuel Ethis, sociologue et cinéphile, auteur de *Sociologie du cinéma et de ses publics* (Armand Colin), *Intouchables* a cette vertu : il libère la parole. «*Tout comme* Des hommes et des dieux[1]*, ou le film iranien* la Séparation[2]*, cette comédie nous offre les mots pour parler de la vie et nous donne envie d'échanger. Le cinéma, ne l'oublions pas, ne se résume pas à un face-à-face entre soi et l'écran. Réussi, il se meut en une invitation à la communication.*»

Parler, dialoguer, non pour broyer du noir, en écho à la crise, mais pour faire résonner une petite musique chaleureuse et positive. À travers cette amitié entre un exclu de la banlieue et un tétraplégique, Nakache et Toledano racontent une belle histoire, mais estampillée «vraie». Tout comme *La guerre est déclarée,* de Valérie Donzelli, qui avait aussi su toucher au cœur les spectateurs en s'attachant au combat d'un couple confronté à la maladie de son enfant. Faut-il alors stigmatiser des divertissements qui, à coups de bons sentiments, assommeraient la populace? Voilà une critique, «*vieille comme le spectacle de masse*», qui hérisse Emmanuel Ethis. « *L'art,* rappelle-t-il, *loin de nous éloigner de la réalité, nous en rapproche. Mieux, loin de nous endormir, le cinéma nous galvanise[3], il nous remplit d'énergie*».
Et le rire, plus encore que les larmes, «*permet de ne rien éluder[4] des questions graves, de tout dire, mais gentiment, positivement*». En d'autres temps, les films de Frank Capra (*La vie est belle)* ou les comédies italiennes (type *Mes chers amis,* de Monicelli) furent de puissants révélateurs des sociétés américaine et transalpine.

La recette n'est donc pas nouvelle. Mais si *Intouchables* fait mouche, aujourd'hui, c'est, estime Emmanuel Ethis, parce qu'il met le doigt sur un problème sensible : l'altérité[5]. Entre Driss, le jeune Noir déshérité, et Philippe, le grand bourgeois fortuné, le choc est moins social que culturel. Et le duo Nakache-Toledano ose un slogan simple : «*Haut les cœurs!*» «*Le film nous suggère que la solution n'est pas technocratique. Elle est entre nos mains, elle repose sur la confiance partagée*», analyse Emmanuel Ethis. Et le bouche-à-oreille ne dit pas juste «*c'est drôle*», mais «*vas-y, tu comprendras*», bref, derrière le rire, il y a «*une quête de sens*». Là aussi, on pourrait saluer l'utopie, comme chez Guédiguian, qui dans les *Neiges du Kilimandjaro,* veut encore croire, avec le sourire, à une solidarité des pauvres. Pour ▶

Emmanuel Ethis, *Intouchables* fait néanmoins écho à une réalité. À un besoin de communication dans un monde qui clive[6]. Et là c'est le président d'université qui s'exprime : «*Avignon est une université populaire, qui totalise* *48% de boursiers, un record. Mais nos étudiants exultent de pouvoir se mélanger, de se confronter à d'autres milieux.*» **De fait, *Intouchables*, de par son large succès, fédère des publics différents.** Bien sûr, c'est du cinéma, mais une France capable d'applaudir à *Intouchables* n'a probablement pas abdiqué la générosité.

Frédéric Theobald, *La Vie*, n° 3456, 24 novembre 2011.

1. Film dramatique français, Grand prix du jury au festival de Cannes 2010. Il s'est inspiré de l'assassinat des moines de Tibhérine en Algérie en 1996. Le film retrace la vie quotidienne des moines et leurs interrogations face à la montée de la violence pendant les mois qui ont précédé leur enlèvement lors de la guerre civile en Algérie.
2. Film iranien sorti sur les écrans en 2011. Oscar et César du meilleur film étranger en 2012. À Téhéran, Simir et Nader décident de divorcer. Nader engage alors une aide-soignante pour s'occuper de son père malade. Il ignore alors que la jeune femme est enceinte et a accepté ce travail sans l'accord de son mari, un homme psychologiquement instable...
3. Enthousiasmer.
4. Éviter avec adresse.
5. Caractère de ce qui est autre, différence.
6. Diviser, séparer en parties distinctes. Par exemple, le clivage de la gauche et de la droite.

Répondez aux questions.

1. **Le thème du film « Intouchables » est l'histoire d'une amitié entre :**
   a. ☐ un reclus du milieu et un hémiplégique
   b. ☐ un perclus de la banlieue et un tétraplégique
   c. ☐ un exclu de la banlieue et un tétraplégique

2. **Le succès du film est dû en grande partie au bouche-à-oreille. Expliquez cette expression.**

3. **Pour le sociologue Emmanuel Ethis, le cinéma invite à la communication. Quelle(s) phrase(s) justifie(nt) cette affirmation ?**

4. **Le rire permet de parler de questions graves, de tout dire.**
   ☐ Vrai   ☐ Faux   ☐ On ne sait pas

5. **Pourquoi « Intouchables » fait-il mouche ? Justifiez votre réponse en citant une phrase du texte.**

6. **Entre Driss et Philippe, le choc est :**
   a. ☐ plutôt culturel
   b. ☐ plutôt social
   c. ☐ plutôt social et culturel

7. **Dans son film les *Neiges du Kilimandjaro*, à quoi Guédiguian veut-il encore croire ? Citez la phrase du texte.**

C'est du chinois

Depuis qu'il a des boutons, *Homo sapiens* n'a plus d'amour-propre. Il se sent humilié par ces télécommandes hiéroglyphiques, ces écrans plats dominateurs, ces appareils photochimériques, ces téléphones sibyllins, autant d'objets quotidiens qu'il ne comprend plus. Mais *Homo sapiens* a tort de se croire dépassé. Il n'est que la victime d'un enfer organisé par son semblable, *Homo sapiens ingenieusis,* qui, dans son laboratoire, fomente[1] et conceptualise cet enfer pavé de boutons : celui de « *l'information ordinaire* » ! Déjà auteur d'un monument d'humour sociologique (*Les Décisions absurdes, Sociologie des erreurs radicales et persistantes*, éd. Gallimard, 2002), Christian Morel vient de publier un livre d'utilité publique : *L'Enfer de l'information ordinaire*. Une enquête aussi drôle que passionnante, qui dissèque avec la précision du médecin légiste penché sur un corps ces tourments ordinaires qui nous pourrissent la vie.

Le travail courageux du sociologue peut se résumer en quelques questions innocentes : pourquoi les utilisateurs du logiciel Windows doivent-ils passer par le menu « Démarrer » pour éteindre leur ordinateur ? Pourquoi la marche arrière d'une voiture automatique est-elle placée à l'avant de la marche avant ? Quelles sont les motivations profondes d'un industriel qui vend des chasses d'eau scellées,

qu'on ne peut ouvrir qu'en lisant le mode d'emploi justement caché dans la chasse d'eau scellée ? Et ce fabricant de pâtes, qui a traduit en quinze langues sur ses paquets la mention *« Laissez cuire »,* quel est son but ? Et ce magnétoscope équipé d'un seul bouton multifonction sur lequel on passe ses nerfs, faute de parvenir à programmer un enregistrement, a-t-il été créé pour nous humilier ? D'ailleurs, devons-nous nous résoudre à n'utiliser que 10 % des possibilités de nos équipements ?

Les naïfs objecteront qu'il existe des modes d'emploi. *« Ha ha ha »,* répond Morel dans un langage sociologique. Les modes d'emploi dorment dans les greniers. Elliptiques, volumineux, trop techniques, traduits à la truelle[2] (relevé dans une voiture de location au Japon, en [presque] français : « *Quand un passage de pied a en vue, flûtez le klaxon »*), ils ouvrent des abîmes de perplexité. D'ailleurs, plus personne ne les lit. Pour Morel, c'est sûr, le langage a été inventé pour créer du lien, séduire, passer le temps. Pas pour transmettre des informations brutes. Un écrivain ou un grand orateur aura du mal à indiquer à un touriste le chemin direct pour aller à la boulangerie la plus proche. La langue est équivoque, nuancée, elle se laisse interpréter. Du coup, *« la rage d'être abscons*[3] *est profondément ancrée dans la*

nature humaine », estime le sociologue. Les industriels en profitent, persuadés qu'une interface compliquée fidélisera le client, paralysé à l'idée de vivre un nouveau cauchemar chez le concurrent. L'impunité des concepteurs est aussi protégée par la pusillanimité[4] du client, qui n'osera jamais rendre un magnétoscope parce qu'il ne comprend pas le mode d'emploi. Comment se fait-il que notre société fonctionne malgré tout ? *« On connaît tous des relais de connaissance technique »,* rassure le sociologue : le fils, champion du maniement du DVD, le cousin, imbattable sur Windows. Et Internet, qui regroupe les connaissances de ces pionniers se substituant aux modes d'emploi.

Reste la poésie des mystérieux pictogrammes censés remplacer mille mots. Pour la plupart très jolis, ils nous laissent souvent cois[5] comme des poules devant une fourchette. Christian Morel raconte cette anecdote de sociologue de terrain. Dans les toilettes du TGV Paris-Lille, il a remarqué que le pictogramme qui indique le robinet d'eau est effacé. Les voyageurs ont pris le dessin pour le bouton et se sont acharnés dessus. Ces voyageurs-là devront lire le livre du sociologue : à défaut de regagner une dignité, ils retrouveront leur humour-propre.

Nicolas Delesalle, *Télérama,* n°3036, 19 mars 2008.

1. Préparer secrètement quelque chose. – 2. Outil de maçon pour étendre le mortier, formé d'une lame triangulaire reliée à un manche. 3. Difficile à comprendre. – 4. Manque d'audace, de courage. – 5. Laisser coi : muet de stupeur.

Répondez aux questions.

1 • **Dans ce texte, il est question de :**
   a. ☐ la complexité de la langue française
   b. ☐ la complexité des relations humaines
   c. ☐ la complexité des modes d'emploi

2 • **Pourquoi l'homme se sent-il humilié par tous ces appareils ?**

//

3 • Que fait l'« *Homo sapiens ingenieusis* » ?

_____

4 • Morel prétend qu'on ne lit plus les modes d'emploi. Pour quelles raisons ?

_____
_____

5 • Le langage n'a pas été inventé pour transmettre des informations brutes. Pour quelles raisons
a-t-il été inventé ? Citez une phrase du texte.

_____
_____

6 • Pourquoi le client ne rapporte-t-il pas son magnétoscope ?

_____
_____

7 • « *On connaît tous des relais de connaissance technique* ». Expliquez cette phrase en citant
quelques exemples du texte.

_____
_____
_____

8 • Expliquez la confusion de certains voyageurs dans les toilettes du TGV Paris-Lille.

_____
_____

9 • Ce texte est un texte humoristique. Relevez quelques phrases ou expressions qui le prouvent.

_____
_____
_____

ACTIVITÉ 18

Le retour du slow

*« Slow food », « slow éducation »... Dans un monde où tout va toujours plus vite, les mouvements
prônant la lenteur sont de plus en plus nombreux. Question de survie ?*

Souvenez-vous. C'était il y a un mois seulement, deux peut-être : l'été, les vacances, l'insouciance... Cette parenthèse à la temporalité merveilleusement dilatée n'est pas si lointaine. Pourtant, il n'en reste déjà plus rien, balayée, engloutie[1] qu'elle fut par l'hystérie de la rentrée. Et nous voici à nouveau pris dans les mailles d'un quotidien en mode accéléré, nous voici sous tension, débordés.

Incapables de nous souvenir, impuissants à nous projeter, soumis à l'injonction[2] suprême de notre époque : plus vite, il faut aller toujours plus vite ! Mais où allons-nous si vite, au juste ? Quelle civilisation nouvelle, façonnée à l'aune[3] du « court-termisme » et de l'urgence, sommes-nous donc en train d'engendrer ?

Le sujet n'est pas inédit : on ne compte plus le nombre de publications, manifestations, colloques et séminaires qui, ces deux dernières décennies, se sont penchés sur le thème du temps, son «accélération», sa saturation, sa volatilité. [...]   ▶

101

Dans l'impossibilité de décélérer – sans parler de faire marche arrière –, écartelés et comme intoxiqués par cette vitesse que nous croyons subir alors que nous la sécrétons, nous souffrons de cette tenace réalité : *«La quantité de temps quotidien dont nous disposons reste immuable : c'est la seule denrée qui soit totalement rationnée, et en érosion permanente»*, rappelle le journaliste Jean-Louis Servan-Schreiber, le rédacteur en chef du magazine *Clés*, dont *Trop vite !* (éd. Albin Michel) est le dernier opus[4] d'une réflexion sur le temps entamée il y a trente ans.

Un sondage Ipsos d'octobre 2010 le confirme à sa manière : les Français sont convaincus que s'ils disposaient de quatre heures de plus chaque jour, ils pourraient mener à bien tout ce qu'ils ont entrepris. Preuve s'il en est d'un malaise, qui ici confine à la déraison : *«Perdus dans une mer démontée, sans phare pour nous donner la direction, nous approchons d'une société épileptique»*, analyse Éric Fottorino qui, en tant qu'homme de «presse» et écrivain,

a toujours vécu cette tension liée au temps de l'intérieur – il compte d'ailleurs bien lui consacrer son prochain roman.

Mais ce sont encore nos enfants, subissant directement l'impact de cette frénésie dans laquelle ils grandissent, qui nous disent le mieux à quel point nous allons mal. *«Car non seulement les adultes veulent à tout prix être performants, mais ils font aussi courir leurs enfants avec eux, passant leur temps à les bousculer : tant à l'école, où ils doivent aller directement à la case "réussite", que dans les multiples activités extrascolaires qu'on leur programme pendant leurs moindres temps libres»*, se désole la psychanalyste Sophie Marinopoulos, spécialiste de la famille et du lien mère-enfant. *«Il me faut donc le rappeler : l'enfance n'est pas une maladie ! Un enfant a besoin de temps pour grandir, et ce temps de la croissance est un temps dont on ne peut faire l'économie»*, poursuit l'auteur de *Dites-moi à quoi il joue, je vous dirai comment il va* (éd. Marabout), qui constate, en réaction à cette *«ambiance*

anxiogène[5]», une augmentation des troubles du développement chez ses jeunes patients.

Est-ce la raison pour laquelle ces «hyperenfants» devenus grands *«ne veulent pas de cette existence qui les attend, où la vie est devenue une course contre la montre»*? C'est du moins ce qu'affirme le journaliste canadien Carl Honoré, dont *l'Éloge de la lenteur* (éd. Marabout), publié en 2004 (et vendu depuis à un million d'exemplaires dans plus de trente langues), n'en finit pas, aujourd'hui encore, de gagner de nouveaux lecteurs. Loin de vivre comme un poisson dans l'eau dans cette société du «multitasking» et de l'immédiateté, *«la génération iPod comprend déjà que ce virus de la connexion permanente et de la hâte fait du mal. À force de passer des heures sur Facebook, ces jeunes deviennent fous, et le disent : "Nous ne savons plus nous arrêter !" Même si leurs limites ne sont pas les mêmes que les nôtres, cela ne veut pas dire qu'ils ne souffrent pas»*.

Lorraine Rossignol, *Télérama*, n° 3220, 28 septembre 2011.

1. Absorbée.
2. Un ordre.
3. Ancienne mesure de longueur. Ici, en prenant pour référence.
4. Un ouvrage, une œuvre.
5. Qui provoque l'angoisse, l'anxiété.

Répondez aux questions.

1. ● **Quel est le thème général du document ?**
   a. ☐ la décélération du temps
   b. ☐ l'accélération du temps
   c. ☐ l'accumulation du temps

2. ● **L'auteur parle de « l'hystérie de la rentrée ». Comment se manifeste-t-elle ? Justifiez votre réponse en citant une phrase du texte.**

   ....

   ....

3 • « La quantité de temps quotidien dont nous disposons reste immuable » signifie :
   a. ❑ qu'elle ne change pas
   b. ❑ qu'elle change en été
   c. ❑ qu'elle change selon notre humeur

4 • Les Français pensent qu'ils arriveraient à tout faire :
   a. ❑ s'ils avaient plus de temps
   b. ❑ s'ils avaient moins de travail
   c. ❑ s'ils étaient plus rapides

5 • Quel est le comportement des parents à l'égard de leurs enfants ?
   Justifiez votre réponse en citant une phrase du texte.
   ....
   ....

6 • Expliquez en quelques mots ce que veut dire « multitasking ».
   ....

7 • La génération iPod se rend compte du danger de la connexion permanente.
   ❑ Vrai   ❑ Faux   ❑ On ne sait pas

ACTIVITÉ 19

Le Uno fête ses 40 ans

L'objet créé par un coiffeur américain est aujourd'hui un des jeux de société les plus vendus au monde. La société Mattel prépare de nouvelles versions

À l'origine, il y eut un désaccord. Merle Robbins, coiffeur de l'Ohio, ne parvenait pas à s'entendre avec son fils au sujet des règles du jeu de cartes « Huit américain ». D'où l'initiative d'inventer un nouveau jeu moins confus et plus accessible. D'abord fabriqué sur la table de salon de la famille Robbins et distribué dans un cercle privé, le « Uno » fut ensuite édité à 5 000 exemplaires. Aujourd'hui, tout juste quarante ans plus tard, ce jeu de cartes est devenu un des jeux de société les plus vendus au monde avec 150 millions d'exemplaires écoulés.

Pour fêter dignement son 40ᵉ anniversaire, Uno souhaite donc marquer le coup en organisant à travers toute la France une série de festivités hors pair. Durant le mois de juin, des dizaines de participants ont ainsi répondu présent aux rendez-vous gourmands organisés par Uno un peu partout dans l'Hexagone. Au menu, dîners insolites accompagnés, bien sûr, de parties de cartes endiablées. Au total, 160 concurrents se sont vu offrir un repas ainsi qu'une gamme de jeux Uno. La société Mattel, qui en est l'éditrice depuis 1992, a également choisi d'investir les pelouses de l'hippodrome de Longchamp à l'occasion du festival Solidays[1], qui s'est déroulé fin juin. De quoi ravir les mélomanes[2] désireux de taper le carton. Pour les vacanciers, des stands de jeu ont aussi été installés sur les plages de onze villes de France en juillet et en août. La SNCF en a également mis à disposition dans certains de ses « TGV Family » et un jeu concours, très suivi, a également été organisé sur le réseau social Facebook. Le principe est simple : trouver des cartes Uno disséminées dans la presse et dans les grandes villes de France. Le jeu a réussi à susciter l'engouement des fans, puisque pas loin de 10 000 joueurs ont participé à cette chasse au trésor grandeur nature.

Un tel succès surprend. Pourquoi, parmi la masse de jeux sophistiqués mais éphémères, un simple jeu de cartes comme le Uno ne dépérit-il pas ? Pourquoi le trouve-t-on encore entreposé à côté du Monopoly et du Cluedo dans les placards ? La réponse se tient sans doute dans la simplicité de ses règles et dans l'attrait que provoquent ses graphismes simples et colorés.

Mais la firme Mattel ne se repose pas seulement sur la version classique du jeu qui a fait son succès. Elle a choisi en effet d'innover très prochainement lors de ses journées ▶

portes ouvertes qui vont se tenir en septembre. À la clé, un projet bien mystérieux : le Uno Robot ! Une révolution pour les adeptes, qui verront apparaître sur leur table de jeu, dès la fin de l'année 2011, un petit automate capable de mémoriser le nom de tous les joueurs de la partie. *« Tire quatre cartes »*, *« regarde le jeu de ton voisin ! »* ou *« cours à cloche-pied vers la cuisine »* seront autant de gages que pourra ordonner le robot à la personne de son choix. Un seul objectif : pimenter davantage les parties que les habitués pourraient trouver à la longue monotones. De quoi doper un peu plus les ventes au moment de Noël. Aujourd'hui, plus d'un Français sur trois affirme déjà posséder un Uno.

Bastien Chicha, *La Croix*, 29/08/ 2011.

1. Le festival *Solidays,* organisé par la société Sida, a lieu tous les ans sur l'hippodrome de Longchamp et rassemble plus de 150 artistes pendant 3 jours. Les bénéfices du festival sont reversés à des associations de lutte contre le sida.
2. Personnes passionnées de musique classique.

Répondez aux questions.

1 ● **De quoi est-il question dans ce document ?**
     a. ☐ de la création d'un nouveau jeu de société
     b. ☐ d'un jeu concours
     c. ☐ d'un jeu de société

2 ● **Qui a inventé le UNO ?**
     a. ☐ un jongleur
     b. ☐ un coiffeur
     c. ☐ un masseur

3 ● **Que signifie l'expression « taper le carton » ?**
     a. ☐ jouer aux cartes
     b. ☐ battre les cartes
     c. ☐ sanctionner un joueur

4 ● **Citez 3 manifestations organisées pour marquer l'anniversaire du UNO.**
    ....
    ....

5 ● **Pour quelles raisons le UNO a-t-il autant de succès ? Justifiez votre réponse en citant une phrase du texte.**
    ....
    ....

6 ● **La société Mattel veut innover avec :**
     a. ☐ un UNO Nouvo
     b. ☐ un UNO Robo
     c. ☐ un UNO Mémo

ACTIVITÉ 20

L'art de méditer en mouvement

Contemplez dans les parcs ces étranges ballets au ralenti. Déjà, simple spectateur, vous vous sentirez gagné d'une sorte d'apaisement. Attendez une quarantaine de minutes la fin de l'exercice et demandez à chaque membre du groupe de taï-chi-chuan quels bienfaits il en retire.

«Moi qui suis très frileuse, je ressens une chaleur, même lorsque je pratique en plein hiver dans la clairière près de la maison», affirme Nicole, jeune retraitée qui, désormais, essaie d'y consacrer une plage de temps quotidienne. *«Le stress engendré par une semaine de travail disperse mes idées. Pendant ma séance hebdomadaire, ma nervosité disparaît peu à peu et j'ai l'impression que tout se remet bien en place dans ma tête : l'important se détache de l'accessoire»,* reconnaît pour sa part Jean-Claude, directeur des ressources humaines dans une grande entreprise automobile. Quant à Alice, réaliser ces gestes relève de la méditation et lui procure en même temps le plaisir de participer à un spectacle d'une grande force esthétique. Et c'est tout cela, le taï-chi-chuan, cet art ancestral chinois dont la pratique doit permettre de trouver en soi l'harmonie et l'équilibre, le « tao ».

James Kou, né à Shanghaï en 1923, est l'un de ceux qui ont «importé» le taï-chi-chuan en France. Son école parisienne dispense un enseignement dans la plus pure tradition. Celle-ci serait née, au début du XVIIe siècle, dans la province chinoise du Ho-Pei, du génie d'un paysan, Yang Lou-ch'an, élève du maître Chen Wang-tin, codificateur d'un premier taï-chi-chuan, lui-même dérivé de pratiques ancestrales. Autant dire que la forme actuelle du taï-chi-chuan est le résultat d'un travail qui se perd dans la nuit des temps. James Kou souligne que son origine est d'abord martiale – taï-chi-chuan se traduit littéralement par «boxe du faîte[1] suprême» –, même s'il est aujourd'hui une pratique de santé (de «longue vie») à la portée de tous. En effet, chacun peut apprendre les 85 mouvements que compte l'enchaînement, quels que soient son âge et sa condition physique.

De la patience et de la constance, certes, il en faut : la suite des enchaînements, divisée en trois parties, requiert un minimum de trois ans d'apprentissage. S'exercer chez soi entre deux cours hebdomadaires est indispensable si l'on veut «digérer» les lents mouvements circulaires. Chaque détail compte et chaque partie du corps fait l'objet d'une attention particulière. Selon le taï-chi-chuan, le corps se compose de cinq arcs : les deux jambes, les deux bras et le torse. Étirements, ondulations ou rotations activent les arcs et créent à la fois une tension et un relâchement qui doivent s'équilibrer – c'est le principe même de la pensée chinoise basée sur le «yin» (détente) et le «yang» (action). *«Quand une flèche est libérée, l'arc, la corde et la flèche produisent une détente et une certaine vibration»,* résume joliment Leonardo Bernardi, professeur à Bruxelles. S'attachant à la moindre position des poignets, des doigts ou du cou, et toujours perfectible, la pratique tend à une harmonie qu'une vie entière n'épuisera pas. Elle illustre ainsi parfaitement le dicton chinois : *«Le plus important n'est pas le but mais le chemin.»*

L'effort d'apprentissage a d'indéniables contrepoints, heureux moteurs à l'exercice – ne serait-ce que le simple plaisir de s'abandonner à la poésie imprégnant le nom de chaque mouvement : «Emporter le tigre dans la montagne» ou «La grue prend son envol»… L'immédiat bénéfice physique de cette gymnastique douce n'est plus à démontrer. Les spécialistes de la physiologie, de la neurologie ou de la gérontologie s'accordent sur le fait que le taï-chi-chuan améliore les fonctions cardiovasculaires, la force musculaire, la coordination des mouvements et la respiration. Nul besoin d'un équipement sophistiqué : seuls les vêtements serrés et les talons hauts sont proscrits. La pratique n'exige pas de lieu particulier : une surface plane de 15 m suffit, le plein air est recommandé. Toutes choses contribuant à rendre le taï-chi-chuan accessible à toutes les bourses et toutes les constitutions. Âgé aujourd'hui de 88 ans et ne professant plus depuis quelques années, James Kou n'en continue pas moins sa pratique, digne témoin des bienfaits de son art.

Laure Bazantay, *La Croix*, 29 octobre 2011.

1. La partie la plus élevée d'une construction, d'un arbre.

Répondez aux questions.

1 ● **Quels sont les bienfaits du taï-chi-chuan ? Donnez quelques exemples.**

2 ● **D'où nous vient le taï-chi-chuan ?**

3 ● **À l'origine le taï-chi-chuan était :**
   a. ☐ un sport marial
   b. ☐ un sport martial
   c. ☐ un sport marital

4 ● **Le taï-chi-chuan se pratique de préférence à l'extérieur.**
   ☐ Vrai   ☐ Faux   ☐ On ne sait pas

5 ● **Selon le taï-chi-chuan, de quoi le corps se compose-t-il ? Citez la phrase du texte.**

6 ● **Sur quoi la pensée chinoise se base-t-elle ? Faites une phrase.**

7 ● **Qu'est-ce qui permet de parler de poésie dans la pratique du taï-chi-chuan ? Justifiez votre réponse par des exemples.**

8 ● **Le taï-chi-chuan peut se pratiquer à tout âge.**
   ☐ Vrai   ☐ Faux   ☐ On ne sait pas

ACTIVITÉ 21

Du bon usage de l'échec

La mort de Steve Jobs, le visionnaire américain qui a créé la société Apple, a suscité énormément d'attention partout dans le monde.

Pour comprendre les racines de son génie, il faudrait écouter Steve Jobs lui-même. En effet, le commentaire le plus éloquent et révélateur sur les sources de son inspiration se trouve dans un discours qu'il a tenu en 2005 à l'université de Stanford. Il y expliqua le rôle primordial de l'échec dans sa vie.

Cet échec, il y a été confronté à plusieurs reprises. Étudiant, il a arrêté de suivre les cours à l'université.

Encore jeune, il a dû subir le diagnostic d'un cancer virulent. Et dans sa vie professionnelle, le choc, la colère et l'humiliation d'avoir été renvoyé d'Apple, l'entreprise qu'il avait créée. Ce qui frappe dans ce témoignage très personnel, c'est le bon usage que Steve Jobs a fait de ces moments noirs. Il le dit clairement dans ce discours : c'est grâce aux échecs subis et aux leçons qu'il en a tirées qu'il a connu la vraie réussite.

C'est une leçon salutaire à laquelle les Français devraient bien réfléchir. Car l'échec en France n'est pas considéré de la même manière que l'échec aux États-Unis. Outre-Atlantique, on peut très bien le surmonter et en profiter. En France, en revanche, l'échec s'avère trop souvent fatal, la fin définitive de toute espérance. ▶

Cette différence, on peut bien la constater dans le monde des affaires. Faire faillite au moins une fois est tout à fait acceptable pour un entrepreneur américain.

En France, en revanche, une faillite stigmatise. Les lois qui gouvernent les faillites sont beaucoup plus compliquées qu'aux États-Unis, et les conséquences infiniment plus lourdes. Se relever après un tel « accident » est difficile, voire impossible.

Un deuxième exemple des conséquences irréparables de l'échec en France se trouve à l'école. Le taux d'échec scolaire en France est de 20 %, selon des statistiques françaises et internationales, et, malheureusement pour ceux qui échouent, il n'y a pas de seconde chance. Dans d'autres pays, si vous quittez l'école tôt, mais que vous réalisez par la suite à quel point il est difficile de survivre sur le marché de l'emploi sans qualification, vous pouvez toujours faire marche arrière. En France, il n'y a pas de seconde chance ni de marche arrière. En même temps, on ne cesse pas de stigmatiser une proportion toujours plus grande d'élèves.

J'ai ainsi découvert avec stupéfaction ce nouveau dispositif qui veut identifier des enfants « à risque » ou « à haut risque » dès la dernière année de l'école maternelle. L'idée derrière cette initiative est peut-être bienveillante, mais il y a deux gros problèmes. D'abord, les enseignants français ne bénéficient d'aucune formation médicale ni psychologique, et ne sont donc pas capables d'identifier avec fiabilité des troubles de l'enfance. Et surtout il y a ce contexte français et cet usage de l'échec qui aurait des conséquences affreuses : on classerait des enfants dès l'âge de 4 ans.

La tragédie est que parmi ces jeunes gosses stigmatisés se trouverait peut-être un Steve Jobs français. Aux États-Unis, il pourrait faire face à cet échec précoce et triompher. En France, il serait selon toute probabilité condamné à une vie « perdue ».

Peter Gumbel, *La Croix,* 28 octobre 2011.

Répondez aux questions.

1 • **Quel est le thème principal du document ?**
   a. ☐ la mort de Steve Jobs
   b. ☐ les conséquences de l'échec en France
   c. ☐ l'échec scolaire

2 • **Steve Jobs a été souvent confronté à l'échec avant de connaître la vraie réussite.**
   ☐ Vrai   ☐ Faux   ☐ On ne sait pas
   Justifiez votre réponse. ....
   ....

3 • **Comment considère-t-on l'échec en France ? Justifiez votre réponse en citant une phrase du texte.**
   ....
   ....

4 • **« En France, il n'y a pas de seconde chance ni de marche arrière. » Expliquez cette phrase en quelques mots.**
   ....
   ....

5 • **Le nouveau dispositif qui identifie les enfants « à risque » dès l'âge de 4 ans pose des problèmes.**
   ☐ Vrai   ☐ Faux   ☐ On ne sait pas
   Justifiez votre réponse. ....
   ....

6 • **Aux États-Unis, au contraire de la France, on peut surmonter ses échecs et même en profiter.**
   ☐ Vrai   ☐ Faux   ☐ On ne sait pas

ACTIVITÉ 22

La France n'est pas épargnée par le « burn-out »

Quand ils arrivent dans le cabinet du médecin, ces patients disent pratiquement toujours la même chose. *« Docteur, je suis vidé. Je n'en peux plus… »* Sans force et sans toujours trop savoir ce qui leur arrive. *« Chez les personnes atteintes de* burn-out, *c'est quelque chose de très frappant : ce sentiment d'être vidé, comme consumé[1] de l'intérieur »*, constate le docteur François Baumann, généraliste à Paris.

D'origine anglo-saxonne, ce terme de *burn-out* s'est peu à peu imposé en France. Une sorte d'*« épuisement professionnel »* décrit pour la première fois dans les années 1970 par un psychiatre américain, Herbert Freudenberger. *« Il avait comparé ce syndrome à un immeuble incendié, dont il ne restait plus que la façade mais entièrement brûlé de l'intérieur »*, explique le docteur Baumann. Un *burn-out* n'est pas une simple dépression. En général, son diagnostic est établi à partir de trois grandes caractéristiques. *« Le premier signe est un épuisement professionnel qui va bien au-delà d'une simple fatigue. Le deuxième est le développement d'une certaine dépersonnalisation face au travail. Enfin, on retrouve chez les personnes concernées un très fort sentiment de non-accomplissement et de perte de sens par rapport à ce qu'elles doivent accomplir »*, détaille Philippe Douillet, chargé de mission à l'Agence nationale pour l'amélioration des conditions de travail.

Dans un réflexe d'auto-défense, la victime d'un *burn-out* va souvent développer un certain désengagement, parfois teinté de cynisme. *« Comme il n'a plus les moyens de répondre aux exigences de son travail, l'individu va développer un certain nombre d'idées négatives. Un professeur, par exemple, va décréter que tous ses étudiants sont des imbéciles, ce qui, d'un seul coup, va rendre toutes leurs demandes illégitimes. Et lui permettre de trouver un prétexte pour ne plus avoir à y répondre »*, explique Didier Truchot, professeur de psychologie sociale du travail et de la santé à l'université de Franche-Comté, à Besançon.

[…] *« En règle générale, le premier outil thérapeutique est l'arrêt de travail. C'est important que la personne accepte l'idée qu'elle doit s'arrêter pour une durée plus ou moins longue. Ensuite, on peut être amené à prescrire des antidépresseurs pour une période limitée. Cela peut aider les patients, en particulier ceux pour lesquels ne plus aller travailler tous les jours peut se révéler très anxiogène[2] »*, explique le docteur Baumann, qui accompagne souvent cette prise en charge d'une psychothérapie. Comme ses confrères, il souligne qu'il faut aussi et surtout engager avec la personne une réflexion sur son travail et sur les changements à mettre en œuvre pour qu'elle puisse y retourner sans se remettre en danger. Cette tâche n'est évidemment pas simple et dépasse bien souvent les capacités d'action des soignants. Tous le disent, en particulier les médecins du travail : soigner le *burn-out*, c'est aussi s'interroger sur les mutations[3] d'un monde du travail où la recherche des gains de productivité fait peser une pression parfois poussée jusqu'à l'absurde. *« Le plus terrible, c'est ce sentiment de perte de sens face au travail »*, constate Odile Chapuis, membre du Collectif des médecins du travail de Bourg-en-Bresse. *« Dans beaucoup de maisons de retraite, par exemple, la situation est catastrophique, assure-t-elle. De plus en plus y règnent des exigences de rentabilité assez délirantes. On chronomètre les soignants, on leur dit : "Une douche, ce n'est plus six minutes mais quatre minutes." Comment voulez-vous que ceux qui ont choisi ce métier parce qu'ils aimaient les personnes âgées ne deviennent pas dingues… »*

Pierre Bienvault, *La Croix*, 1/12/2011.

1. Détruit. – **2.** Qui provoque l'angoisse, l'anxiété. – **3.** Les changements.

Répondez aux questions.

1 ● **Le thème de ce document est :**
   a. ☐ la dépression
   b. ☐ l'épuisement
   c. ☐ le dépaysement

2 ● **Quels sont les trois grandes caractéristiques du** *burn-out* **? Citez les exemples du texte.**

....

....

3 • **Le professeur décrète que ses étudiants sont des imbéciles. Pourquoi ?**

....

4 • **La thérapie du *burn-out* est avant tout l'arrêt de travail, mais aussi :**
   a. ☐ les antidouleurs
   b. ☐ les antimalheurs
   c. ☐ les antidépresseurs

5 • **Pourquoi faut-il s'interroger sur les mutations du monde du travail ? Justifiez votre réponse en citant une phrase du texte.**

....

....

6 • **La situation catastrophique dans les maisons de retraite est due :**
   a. ☐ à la stabilité
   b. ☐ à la rentabilité
   c. ☐ à l'anxiété

ACTIVITÉ 23

La nouvelle donne des antisèches[1]

C'est la plus grande menace sur l'enseignement et la moins connue : la fraude. Seuls les enseignants en fin de carrière, insensibles aux pressions et menaces, osent la dénoncer. Un groupe de travail formé autour de Michelle Bergadaà, courageuse professeur de l'université de Genève, a mis en évidence l'extension de ce phénomène grâce aux nouvelles technologies. Dans les concours impériaux de la Chine ancienne, certains candidats cachaient dans la doublure de leur tunique des antisèches en papier de soie. Aujourd'hui, les réponses toutes prêtes se trouvent dans les mémoires de calculatrices surpuissantes. Naguère[2], on copiait sur le voisin, aujourd'hui on lit un SMS. Même si les épreuves sont bien surveillées, il existe d'autres méthodes pour doper son intellect. Les devoirs à la maison sont souvent «pompés» intégralement sur un site Internet ou sur un courriel du meilleur élève de la classe. L'élève fait du «copier-coller» avec son ordinateur comme naguère le journaliste avec des ciseaux et un pot de colle pour découper les dépêches d'agence. Dans le supérieur, les mémoires de master reproduisent parfois intégralement des travaux antérieurs sans mentionner leur auteur. Et malgré les logiciels anti-fraude, certaines thèses comportent tant d'emprunts non signalés que le doctorant est un voleur de propriété intellectuelle.

L'enseignement à distance favorise la triche. Finie l'époque des devoirs sous enveloppe, voici les universités numériques. On ne sait pas qui est derrière l'écran : l'étudiant ou son double, l'enseignant ou son «nègre»[3]. Certaines de ces institutions, «virtuelles», notamment en Roumanie, ont décerné des milliers de diplômes sans valeur mais non sans coût car le business du «e-learning» est florissant alors même que le programme des universités des pays développés est souvent inadapté aux besoins des étudiants des pays les plus pauvres.

Pour ceux qui peuvent ou préfèrent étudier à l'étranger, certaines facultés ferment les yeux sur l'authenticité des diplômes et accueillent à bras ouverts un public souvent payant, apte à combler le déficit des comptes courants. Des étudiants fantômes, africains ou asiatiques, ont été inscrits en masse dans certains établissements qu'ils ont vite désertés pour travailler aux fraises à Carpentras ou aux melons à Cavaillon. Les attestations de niveau en langue française sont parfois «bidon»[4], mais on s'imagine remonter dans le fameux classement de Shanghaï en recrutant des Chinois, comme si inviter un Éthiopien quelconque valait victoire au marathon.

►

L'enfer est parfois pavé de bonnes intentions et nombre d'universités européennes nouent des partenariats avec leurs homologues africaines sans rien connaître aux conditions locales d'enseignement. Telle institution française réputée accorde son label à des mémoires de master rédigés non par l'étudiant mais par un enseignant rémunéré : des garçons paient de leur poche et des filles de leurs charmes. Certains partenariats ne servent qu'à enrichir des potentats[5] de l'intellect logés dans de somptueuses villas pendant que les étudiants croupissent[6] dans des dortoirs immondes. Ils feraient bien de relire le prophète Jérémie : «*Malheureux celui qui construit son palais au mépris de la justice et ses étages au mépris du droit*» (22, 13). Bien sûr, un cas n'est pas une règle et nombre d'étudiants et de facultés sont sans reproches. Ceux-là souffrent de la concurrence déloyale des fraudeurs qui, même minoritaires, doivent être dénoncés. Voilà pourquoi on ne peut taire des pratiques facilitées par la mondialisation et la technicisation. Ou, pour employer le langage des jérémiades, on peut déverser « *des vases de colère* » (13, 12) sur ceux qui faussent les balances.

Odon Vallet, *La Croix*, 06/01/2011.

1. Aide-mémoire, note utilisée frauduleusement à un examen (scolaire).
2. Autrefois.
3. Personne qui écrit, rédige anonymement des textes pour une autre personne qui les signe.
4. Faux.
5. Personne qui possède un pouvoir absolu.
6. Demeurer dans un état dégradant ou pénible.

Répondez aux questions.

1 ● **De quoi parle-t-on dans le document ?**
   a. ☐ de la sécheresse
   b. ☐ de la fraude
   c. ☐ des logiciels anti-fraude

2 ● **Pourquoi seuls les enseignants en fin de carrière dénoncent-ils la triche ?**
   ....
   ....

3 ● **« L'élève fait un copier-coller avec son ordinateur ». Expliquez cette phrase.**
   ....
   ....
   ....

4 ● **L'enseignement à distance favorise la triche.**
   ☐ Vrai   ☐ Faux   ☐ On ne sait pas
   Justifiez votre réponse. ....
   ....

5 ● **Pour quelles raisons certaines facultés ferment-elles les yeux sur l'authenticité des diplômes et accueillent-elles des étudiants fantômes ?**
   ....
   ....

6 ● **À quoi servent certains partenariats ?**
   ....
   ....

7 ● **L'auteur dit qu'il faut dénoncer les fraudeurs.**
   ☐ Vrai   ☐ Faux   ☐ On ne sait pas
   Justifiez votre réponse. ....

ACTIVITÉ 24

Le retour des bonnes manières

Pendant longtemps, la transmission des règles de politesse occupait une place importante dans l'éducation des enfants. Ne disait-on pas de ceux qui les appliquaient qu'ils avaient reçu une *« bonne éducation »* ? Elles ont été partiellement balayées après Mai 68[1], au nom de la sincérité : la politesse est alors apparue comme une hypocrisie sociale, un carcan[2], dans lequel il ne fallait surtout pas enfermer les enfants, pour ne pas brider[3] leur spontanéité. Aujourd'hui, elle amorce un certain retour. Même si elle n'ose pas toujours employer le mot, l'Éducation nationale multiplie les initiatives pour inculquer aux élèves les règles du « vivre-ensemble ». La RATP a lancé sur ses lignes une nouvelle campagne (« Partageons plus, partageons le bus ») : « *Merci de vous adresser au conducteur et aux autres voyageurs avec courtoisie…* » La galanterie, rejetée par les féministes, reprend du galon : alors que dans les années 1970, les hommes se faisaient foudroyer du regard quand ils aidaient une femme à enfiler son manteau, les jeunes filles reconnaissent volontiers qu'un homme galant les séduit.

[…] Les nouvelles technologies ont elles aussi édifié leur protocole. Yahoo a publié sur le Web la « netiquette », un *« guide des bonnes manières à l'usage du mail »*, où l'on apprend par exemple que le fait d'écrire des mots en majuscules *« peut donner au destinataire le sentiment qu'on lui crie dessus »*. Les opérateurs de téléphonie mobile ont édité un guide du bon usage du téléphone portable, édictant des *« règles de savoir-vivre ou de bonne conduite »*, destiné aux adolescents et à leurs parents. […]

« *La politesse en effet,* explique Dominique Picard, psychosociologue et auteur de deux livres sur le sujet, *c'est d'un côté un système de règles un peu formel (comment on pose sa fourchette, quels mots dire pour se saluer…). Mais dans son fondement, c'est l'huile qu'on met dans les rouages[4] des relations sociales, c'est ce qui permet de vivre ensemble dans le respect de l'autre, de façon à ce que tout le monde ait sa place. On sait bien que vivre dans la spontanéité n'est pas viable… Quand on se lève le matin de mauvaise humeur, on ne peut pas dire à son voisin qui nous dit bonjour dans l'escalier : fichez-moi la paix !* »

Et tout être humain a besoin d'être reconnu pour ce qu'il est. Ainsi on apprend à un enfant à ne pas dire bonjour de la même manière à tout le monde : « *bonjour monsieur »*, *« bonjour madame »*, à une personne plus âgée qu'il connaît mal, et non « *salut »*, comme à ses copains. La politesse inclut aussi le respect du territoire et de l'intimité de l'autre : c'est par tact qu'on frappe avant d'entrer dans la chambre de son frère ou de ses parents. *« Ces règles ont pour fondement,* résume Dominique Picard, *de permettre aux gens de vivre ensemble dans le respect mutuel, sans les mettre dans l'embarras. »* […]

Comme le soulignait Pierre Bourdieu, il y a une forme de politesse qui crée du lien, permet la convivialité, et une autre qui distingue et exclut les autres. Les adolescents ont ainsi leurs propres règles de politesse, différentes de celles de leurs parents : ils s'embrassent facilement, se *« charrient[5] »* pour se dire bonjour, et celui qu'on ne *« charrie »* pas se sent exclu.

« L'un des problèmes majeurs auquel on est confronté dans ce domaine, souligne Dominique Picard, *est cette cassure entre les codes des jeunes et ceux des adultes. De nombreux jeunes refusent ainsi de se plier aux règles de la classe d'âge de leurs parents ou de leurs grands-parents. Je suis frappée ainsi par le fait que la plupart des élèves ne se disent pas insolents. Quand en classe, par exemple, ils veulent garder leur casquette (ou leur bonnet) sur leur tête, alors que leurs professeurs leur demandent de l'enlever, ils disent : les profs ne respectent pas notre mode à nous. »* […]

Au-delà de la diversité des codes, ce sont ces principes fondamentaux de la politesse qu'il est important de transmettre aux enfants.

Christine Legrand, *La Croix*, 12 janvier 2011.

1. Vaste mouvement de contestation politique, sociale et culturelle qui se développa en France.
Le mouvement a ensuite gagné les entreprises et a abouti à une grève générale qui a paralysé la vie économique du pays.

2. Ce qui entrave la liberté.
3. Gêner, freiner.
4. Les parties essentielles.
5. Se moquer.

Répondez aux questions.

1 • **Au nom de quelle théorie les règles de politesse ont-elles été balayées après mai 68 ?**
Justifiez votre réponse en citant une phrase du texte.

....

....

//

2 • Quel est le slogan de la nouvelle campagne de la RATP ? ....

....

3 • La galanterie reprend du galon. Expliquez la phrase en citant un exemple du texte.

....

....

4 • Expliquez ce qu'est la « netiquette ». ....

....

5 • Comment le psychosociologue Dominique Picard explique-t-il la politesse ?
Justifiez votre réponse en citant une phrase du texte.

....

....

6 • Les jeunes ont leurs propres règles de politesse.
☐ Vrai ☐ Faux ☐ On ne sait pas

7 • Pourquoi frappe-t-on avant d'entrer dans la chambre de quelqu'un ? ....

....

8 • Pourquoi les jeunes disent-ils que les profs ne respectent pas leur mode à eux ?

....

....

ACTIVITÉ 25

Travailler en vacances ou s'évader du bureau, l'effet Internet

Ce vendredi soir, le vol Air France Nice-Paris est rempli de cadres qui rentrent vers la capitale pour le week-end. Ceux qui ne sont pas en train de bavarder ont les yeux fixés sur l'écran de leur smartphone [...] ou sont penchés sur leur ordinateur portable. Un dossier en retard, un courriel urgent, une présentation à préparer. Il est facile, aujourd'hui, d'être toujours connecté. [...]

En grande majorité (76 %), les salariés affirment que les nouvelles technologies les ont «*libérés*». Seulement 17% disent qu'elles les ont «*aliénés*[1]». La réalité est sans doute plus complexe : Internet est à la fois source de liberté et d'esclavage, à en croire Christophe D., cadre dirigeant d'une grande entreprise de l'énergie. Lui participe à une multitude de grands projets d'infrastructures, barrages ou centrales nucléaires, impliquant des centaines d'intervenants partout dans le monde. Il a connu le télex, puis le fax. Alors il admet qu'avec Internet, le progrès est réel. «*On a décuplé la productivité. On travaille en direct avec des bureaux d'études situés en Inde. On recueille des données sur l'état d'un barrage au moyen de capteurs électroniques connectés. Plus besoin d'avoir un type sur place durant tout l'hiver.*»

En contrepartie, la pression s'est accrue sur les individus, qui doivent répondre de plus en plus vite à une avalanche de sollicitations. [...]

Christophe dit passer trois à quatre heures par jour à traiter ses courriels. Quand il n'a pas le temps de répondre durant la journée, il le fait le soir ou le week-end. En vacances, bien sûr, cela ne s'arrête pas. «*Un cadre dirigeant, aujourd'hui, a une amplitude de travail énorme, surtout quand il est en relation avec des pays qui sont en décalage horaire. On traite de sujets lourds, avec des risques de contentieux important. Alors, malgré les chartes d'éthique qui existent, certains patrons ne supportent pas qu'on ne leur ait pas répondu dans les deux heures, y compris le dimanche. À ce rythme,* ▶

beaucoup de cadres s'usent rapidement, ou s'isolent.»

Lui tente de se donner quelques règles de conduite, tout en reconnaissant qu'il est difficile de les respecter : pas de smartphone, un coup d'œil à ses courriels seulement trois fois par jour le week-end, et des séances de travail pour une durée prédéfinie. À l'inverse, il règle beaucoup de ses problèmes personnels en ligne, que ce soit durant ses déplacements ou au bureau : *«Je commande des livres sur Internet. Et je me les fais livrer au bureau, car je n'ai pas le temps d'aller à La Poste chercher les colis.»*

Christophe est un de ces individus d'un nouveau genre que Julie Reig, sociologue du groupe Chronos, nomme les *«hypermobiles».* Ils sont plutôt jeunes, diplômés, actifs et urbains. Ils ne sont pas les enfants des nouvelles technologies, mais plutôt *«de l'étalement urbain qui allonge les temps de transport»,* dit-elle. *«Ils développent des stratégies pour soulager leur quotidien. Même si le travail à distance n'est pas prévu dans leur contrat de travail, ils vont y recourir pour se faciliter la vie»,* note Julie Reig.

Les « hypermobiles » sont ceux qui jonglent le mieux avec les nouveaux outils numériques, utilisant de façon la plus intense un grand nombre de canaux pour organiser leur vie professionnelle ou privée. [...] De ce fait, il devient plus difficile de distinguer temps de travail et temps privé. Avec le risque, parfois, de ne jamais décrocher. *«Officiellement, je n'ai aucune astreinte[2] le week-end»,* indique Marc S., directeur des ressources humaines d'une grande société du secteur des hautes technologies. *«Cependant, il existe une astreinte mentale : personne ne comprendrait que je ne sois pas joignable.»* Il est contacté régulièrement le week-end, parfois la nuit, car son entreprise possède des sites de production en Asie. Il répond, avec l'idée que si on le contacte, c'est forcément qu'il se passe *«quelque chose de grave».* Il est habitué à ce rythme et ne s'en plaint pas.

[...] Pour préserver son équilibre, il se fixe [...] une ligne de conduite simple : *«Je ne réponds pas au téléphone quand je suis à table. Et je n'envoie rien à mes collaborateurs à partir du vendredi soir, 18 heures.»* [...].

Alain Guillemoles,
La Croix, 30/11/2011.

1. Ici, rendre esclave. – **2.** Une obligation, une contrainte.

Répondez aux questions.

1 • **Le document parle :**
    a. ☐ d'Internet et du travail
    b. ☐ d'Internet et des vacances
    c. ☐ d'Internet et des cadres

2 • **Internet est à la fois source de liberté et d'esclavage. Expliquez pourquoi par un ou deux exemples.**
....
....

3 • **Christophe D. admet qu'avec Internet, le progrès est réel. Qu'est-ce qui lui permet de l'affirmer ? Citez une phrase du texte.**
....
....

4 • **Quels sont les effets négatifs d'Internet ?** ....
....

5 • **Qui sont les « hypermobiles » ?** ....

6 • **Marc S. ne répond pas au téléphone quand il est à table :**
    a. ☐ par politesse
    b. ☐ pour préserver son équilibre
    c. ☐ pour manger tranquillement avec sa famille

Production ORALE

A comme... aborder la production orale

Description de l'épreuve

L'épreuve de production orale comporte trois parties qui s'enchaînent et dont la durée totale est de 10 à 15 minutes :

- **un entretien dirigé,** d'une durée de **2 à 3 minutes,** sans préparation.
Il s'agit d'un entretien informel au cours duquel l'examinateur demande au candidat de se présenter, de parler de lui, de ses centres d'intérêt, de son passé, de son présent et de ses projets. L'examinateur relance ensuite l'entretien par une question sur un thème concernant le candidat, par exemple : « *Quel est votre loisir préféré ?* »

- **un exercice en interaction,** d'une durée de **3 à 4 minutes.** Le candidat tire au sort deux sujets puis choisit l'un des deux. Dans une situation donnée, mettant en scène deux interlocuteurs, le rôle de l'un est attribué au candidat et l'autre, à l'examinateur. Tous deux jouent alors leur rôle, simulent la situation donnée.

- **l'expression d'un point de vue,** d'une durée de **3 minutes environ.** Comme pour l'exercice précédent, le candidat tire au sort deux sujets puis choisit l'un des deux. Il doit dégager le thème soulevé par le sujet qu'il a choisi et présenter son opinion sous la forme d'un petit exposé. Auparavant, le candidat dispose de 10 minutes de préparation.

Pour vous aider...

- **Dans les trois situations,** vous devez prendre la parole et vous faire comprendre du mieux possible. Pour ce faire :
  → essayez de vous détendre : par exemple, respirez profondément avant d'être face à l'examinateur ;
  → souriez, regardez l'examinateur : son expression permet en général de vérifier si votre message est bien passé ou non ;
  → parlez suffisamment fort et articulez : l'examinateur doit pouvoir vous entendre et comprendre ce que vous dites sans avoir besoin de vous demander de répéter ;
  → adaptez votre intonation à la situation, restez naturel(le) ;
  → enfin, faites-vous confiance : les hésitations et les erreurs sont normales. Si certains mots vous manquent, ne vous « bloquez » pas, essayez de trouver une solution (Voir partie « Petits plus : Lexique »).
- **Lors de l'entretien,** présentez-vous de façon simple et directe et répondez franchement à la question qui vous est posée : en restant vous-même, vous pourrez centrer toute votre attention sur le sujet de l'entretien.
- **Lors de l'interaction,** il vous appartient de prendre l'initiative de la parole pour exposer votre situation, faire comprendre à votre interlocuteur quel est votre souci ou encore quelle est votre position sur un sujet précis. Attendez-vous à ce que votre interlocuteur ne vous facilite pas la tâche, c'est son rôle. À vous de l'amener à vous aider, à accepter votre position en ayant recours aux arguments nécessaires. Pendant cette interaction, veillez à ne pas couper la parole à votre interlocuteur : écoutez bien ses remarques ou objections pour mieux y répondre, faites en sorte de relancer le dialogue si cela s'impose.
- **Lors de l'expression de votre point de vue,** consultez les notes que vous avez prises pendant la préparation de votre exposé mais ne les lisez pas. Il vous sera plus facile de consulter le plan de votre intervention ainsi que les arguments que vous aurez notés précédemment. En procédant de cette façon, votre expression sera plus souple et plus efficace car vous ne vous attacherez pas à des phrases rédigées. Comme pour l'exercice en interaction, écoutez bien les remarques ou objections de votre interlocuteur pour y répondre de façon appropriée.

Exemples d'activités à réaliser

Pour vous préparer à l'épreuve de production orale, réalisez les activités suivantes. Si possible, enregistrez-vous.

I   Entretien dirigé

ACTIVITÉ 1

Après avoir parlé de vous, de vos activités, de vos centres d'intérêt, de votre passé, de vos projets, l'examinateur peut par exemple vous poser la question suivante :

À quel moment de l'année préférez-vous prendre vos vacances ? Pourquoi ?

II   Exercice en interaction

ACTIVITÉ 1

Dans un magasin, vous demandez à essayer une paire de chaussures que vous avez vues en vitrine. La forme, la couleur et le prix vous conviennent. Vous dites quelle est votre pointure au vendeur (à la vendeuse). Un moment plus tard, le vendeur (la vendeuse) vous annonce qu'il n'y a plus votre pointure.

L'examinateur joue le rôle du vendeur.

III   Expression d'un point de vue

ACTIVITÉ 1

Vous dégagez le thème soulevé par le document ci-dessous et vous présentez votre opinion sous la forme d'un petit exposé de 3 minutes environ. L'examinateur peut vous poser quelques questions.

Vous disposez de 10 minutes de préparation.

Je pratique le covoiturage !

Si vous n'avez pas la possibilité de vous déplacer en transports en commun ou en transports doux (à pied, à vélo, en roller, skate, patinette...), vous êtes donc obligé d'utiliser une voiture. L'utilisation de la voiture génère des gaz polluants nocifs pour la santé humaine, et des gaz à effet de serre responsables du réchauffement climatique.

Il existe une solution de déplacement en voiture, qui permet de réduire les émissions polluantes par personne et qui est de surcroît conviviale, c'est le covoiturage !

Vous pouvez **optimisez vos trajets**, pour aller au travail, faire des courses et même pour partir en vacances, en pratiquant le **covoiturage**. De nombreux avantages découlent de cette initiative de partage des déplacements :

  Réduction des émissions de gaz à effet de serre et de gaz polluants, en fonction du nombre d'occupants de la voiture.

  Réduction de la consommation de carburant, et donc des dépenses par le partage des frais d'essence.

  Économie de l'usure du véhicule, car le principe est d'alterner l'utilisation des voitures avec les personnes qui voyagent avec vous.

  Partage d'un moment convivial avec des collègues de travail, des voisins ou amis, et rencontre de nouvelles personnes si vous faites appel à un site de covoiturage !

Le covoiturage, c'est un réflexe citoyen !

http://www.vedura.fr/

Évaluez vos réponses dans les pages suivantes.

Grilles de correction

La production orale est notée sur **25 points** :
- Les **activités** elles-mêmes sont notées sur **13 points** :
  - l'entretien est noté sur **3 points**,
  - l'exercice en interaction est noté sur **5 points**,
  - l'expression d'un point de vue est notée sur **5 points**,
- **Pour l'ensemble des trois parties** de l'épreuve :
  - le lexique est noté sur **4 points**,
  - la morphosyntaxe est notée sur **5 points**,
  - la maîtrise du système phonologique est notée sur **3 points**.

Pour vous aider à améliorer vos résultats

- Cherchez à améliorer votre prononciation, soignez votre intonation et votre articulation.
- Revoyez les points de grammaire qui vous ont posé quelques difficultés (voir les « Petits plus - Grammaire »).
- Revoyez aussi les stratégies et les éléments lexicaux qui vous ont fait défaut (voir les « Petits plus - Lexique »).

Écoutez vos enregistrements et évaluez-vous à l'aide des grilles dont dispose l'examinateur.

I Entretien dirigé

Peut parler de soi avec une certaine assurance en donnant informations, raisons et explications relatives à ses centres d'intérêt, projets et actions.	0	0,5	1	1,5	2
Peut aborder sans préparation un échange sur un sujet familier avec une certaine assurance.	0	0,5	1		

II Exercice en interaction

Peut faire face sans préparation à des situations même un peu inhabituelles de la vie courante (respect de la situation et des codes sociolinguistes).	0	0,5	1		
Peut adapter les actes de parole à la situation.	0	0,5	1	1,5	2
Peut répondre aux sollicitations de l'interlocuteur (vérifier et confirmer des informations, commenter le point de vue d'autrui, etc.).	0	0,5	1	1,5	2

III Expression d'un point de vue

Peut présenter d'une manière simple et directe le sujet à développer.	0	0,5	1		
Peut présenter et expliquer avec assez de précision les points principaux d'une réflexion personnelle.	0	0,5	1	1,5	2,5
Peut relier une série d'éléments en un discours assez clair pour être suivi sans difficulté la plupart du temps.	0	0,5	1	1,5	

LEXIQUE, MORPHOSYNTAXE ET MAÎTRISE DU SYSTÈME PHONOLOGIQUE

Lexique (étendue et maîtrise) Possède un vocabulaire suffisant pour s'exprimer sur des sujets courants, si nécessaire à l'aide de périphrases ; des erreurs sérieuses se produisent encore quand il s'agit d'exprimer une pensée plus complexe.	0	0,5	1	1,5	2	2,5	3	3,5	4

Morphosyntaxe Maîtrise bien la structure de la phrase simple et les phrases complexes les plus courantes. Fait preuve d'un bon contrôle malgré de nettes influences de la langue maternelle.	0	0,5	1	1,5	2	2,5	3	3,5	4	4,5	5
Maîtrise du système phonologique Peut s'exprimer sans aide malgré quelques problèmes de formulation et des pauses occasionnelles. La prononciation est claire et intelligible malgré des erreurs ponctuelles.	0	0,5	1	1,5	2	2,5	3				

Quel total obtenez-vous ? Avez-vous au moins la moyenne (12,5/25) ?
Quelle note obtenez-vous pour chaque activité ?

Propositions de correction

I Entretien dirigé

ACTIVITÉ 1

Prenez-vous des vacances plusieurs fois par an ? Dans ce cas, dites quand vous les prenez, précisez leur durée, puis dites ensuite quelles sont celles que vous préférez. Pour justifier votre choix, dites quelle en est la raison / quelles en sont les raisons : le temps (été/hiver), la durée, être seule(e) ou non, avoir des activités nombreuses et variées ou se reposer, retrouver la famille ou des amis...

II Exercice en interaction

ACTIVITÉ 1

Vous demandez au vendeur si la paire qui se trouve en vitrine ne serait pas de votre pointure :
– si c'est oui, vous les achetez, si c'est non, vous demandez le même modèle, dans une autre couleur :
– si c'est oui, vous les achetez, si c'est non, vous demandez s'il y a un modèle semblable, au même prix :
– si c'est oui, vous les achetez, si c'est non, le vendeur peut aussi vous proposer de lui-même un autre modèle, peut-être plus cher : vous acceptez ou non... Dans tous les cas, pensez à remercier le vendeur en fin d'interaction, que vous obteniez ou non la paire de chaussures.

III Expression d'une opinion

ACTIVITÉ 1

Le thème abordé est celui du covoiturage
Le document incite au covoiturage en présentant ses avantages : pour la santé, l'environnement, économiser son véhicule, avoir des moments conviviaux avec les collègues de travail.
Vous pouvez :
– *soit adhérer* à ce que défend le document, et dans ce cas, il vous faut expliciter les avantages énoncés en donnant des exemples plus précis, éventuellement personnels, et si possible en ajouter d'autres (apprendre le partage, éviter les transports en commun et leurs inconvénients) ;
– *soit adhérer en partie*, c'est-à-dire trouver des inconvénients au covoiturage (perte de liberté car il faut planifier les déplacements en fonction des autres , accepter de partager un véhicule avec des personnes pour lesquelles on a peut-être peu de sympathie...) ;
– *soit prendre le contrepied* de ce que présente le document, et dire pourquoi, en réfutant l'un après l'autre les arguments du document et en y ajoutant d'autres plus personnels (par individualisme, goût de la liberté...).

D comme... DELF

ACTIVITÉ 2 : Savoir engager l'entretien dirigé

Après avoir salué l'examinateur, vous devrez répondre à une question qu'il vous posera.
La réponse à cette question consistera principalement en une explication, une description ou encore une brève narration, très vite interrompues par l'examinateur qui engagera alors l'entretien dirigé.
Il est très important alors :

  - d'amorcer une réponse claire mais « ouverte » aux questions de votre interlocuteur, et donc ;
  - de ne pas chercher à « gagner du temps » par un début de réponse évasif, inapproprié ;
  - de ne pas chercher à « tout dire » en quelques mots et ainsi mettre fin à l'entretien.

Observez les amorces de réponse suivantes.
À quel type de réponse correspondent-elles ?
Vous semblent-elles correspondre à un bon début d'entretien (+) ou non (−) ?
Cochez les cases qui conviennent.

	Phrases	Explication	Description	Narration	+	−
1	Je n'ai jamais rien détesté.					
2	C'est un cadeau de mon père…					
3	Cela s'est passé un dimanche matin…					
4	J'aime les sports d'équipe c'est pourquoi je fais du…					
5	J'habite New-York. Tout le monde connaît la statue de la liberté !					
6	J'avais sept ans mais je m'en souviens encore…					
7	Au bord de la mer. C'est ce qu'il y a de mieux !					
8	J'aimerais bien visiter l'Inde pour…					
9	Elle est blonde et jolie. Que dire d'autre ?					
10	Depuis longtemps je rêve d'acheter, d'avoir un…					

ACTIVITÉ 3

Après avoir salué l'examinateur, vous vous présentez. Vous êtes auteur(e) de guides de voyage.
Vous avez visité de nombreux hôtels, restaurants, endroits insolites.

Parlez de votre expérience, de ce que vous avez vécu dans certains établissements
et donnez quelques conseils à l'examinateur pour l'organisation de ses prochaines vacances.

ACTIVITÉ 4

Après avoir parlé de vous, de vos activités, de vos centres d'intérêt, de votre passé, de vos projets,
l'examinateur pourra par exemple vous poser la question suivante :

Êtes-vous un(e) « manuel(le) » ? Aimez-vous bricoler, faire des travaux manuels ? Lesquels ?

D comme... DELF

ACTIVITÉ 5

Après avoir salué l'examinateur, vous vous présentez. Vous êtes passionné(e) de jardinage
et y passez plusieurs heures par semaine.

Motivez le choix de ce passe-temps.

Pour vous aider, voici quelques arguments : lutte contre le stress, économie, proximité de la nature,
possibilité de cultiver fruits et légumes.

ACTIVITÉ 6

Vous vous présentez après avoir salué l'examinateur. Ce dernier vous interroge sur **la façon
dont vous avez appris le français et pourquoi le français plutôt qu'une autre langue.**
D'autre part, il voudrait savoir *pour quelles raisons vous vous présentez à l'examen du DELF.*

ACTIVITÉ 7

Après avoir parlé de vous, de vos activités, de vos centres d'intérêt, de votre passé, de vos projets,
l'examinateur pourra par exemple vous poser la question suivante :

*Lisez-vous souvent la presse ? Préférez-vous lire la presse d'information
ou la presse spécialisée, consacrée par exemple à un de vos passe-temps ?*

ACTIVITÉ 8

Après vous être présenté(e), vous parlerez à l'examinateur d'un projet qui vous tient à cœur.
Vous avez joué d'un instrument de musique quand vous étiez plus jeune et avez décidé de vous y remettre.

*Parlez de votre motivation, du choix de l'instrument.
Prendrez-vous des cours ? Comptez-vous jouer dans un orchestre ?*

ACTIVITÉ 9

Après avoir parlé de vous, de vos activités, de vos centres d'intérêt, de votre passé, de vos projets,
l'examinateur pourra par exemple vous poser la question suivante :

Quelle place occupe Internet dans votre vie ? Quelle(s) utilisation(s) en faites-vous généralement ?

ACTIVITÉ 10

Après avoir salué l'examinateur, présentez-vous.

*Vous apprenez le français depuis un certain temps. Vous souvenez-vous d'un mot
ou d'une expression qui vous a particulièrement bouleversé(e) ou plu ? Expliquez pourquoi.*

ACTIVITÉ 11

Après avoir parlé de vous, de vos activités, de vos centres d'intérêt, de votre passé, de vos projets,
l'examinateur pourra par exemple vous poser la question suivante :

*Quelle spécialité culinaire de votre pays préférez-vous ? Pourquoi ?
Pouvez-vous décrire ce plat ?*

ACTIVITÉ 12

Présentez-vous après avoir salué l'examinateur. On dit de vous que vous êtes très gentil(le).

Trouvez-vous que c'est un compliment ou plutôt un signe de faiblesse ?

ACTIVITÉ 13

Après avoir parlé de vous, de vos activités, de vos centres d'intérêt, de votre passé, de vos projets, l'examinateur pourra par exemple vous poser la question suivante :

Quel(s) pays étranger(s), en dehors de la France, avez-vous déjà visité(s) ?

ACTIVITÉ 14

Vous vous présentez après avoir salué l'examinateur. Ce dernier vous demandera de parler de vos centres d'intérêt.

Vous collectionnez les lapins bleus. Dites comment cette idée vous est venue, combien de lapins vous possédez, à quoi ils ressemblent, où vous les gardez et ce que vous comptez en faire.

ACTIVITÉ 15

Après vous être présenté(e) et avoir salué l'examinateur, celui-ci vous demandera de parler de votre langue maternelle.

Quelles sont ses caractéristiques par rapport au français ? Que pouvez-vous dire de la littérature de votre pays ?

ACTIVITÉ 16

Et pour clore cette partie… Imaginez un autre type d'entretien !

Lisez le parcours de Pierre Langonné. Imaginez que vous êtes Pierre Langonné et présentez-vous. Motivez le choix de cette profession. Votre exposé sera de trois minutes, au plus.

Pierre Logonné, réparateur d'instruments à vent. «J'ai commencé le saxophone à l'âge de 13 ans et j'ai tout de suite cherché à comprendre le fonctionnement de cette bestiole. Ce qui m'a valu plus d'un aller-retour chez le réparateur ! Après une licence de musique et musicologie, j'ai passé un CAP[1] de réparateur à l'Itemm, puis un BMA[2] de technicien spécialisé en instruments à vent. Un diplôme inachevé, car j'ai été embauché avant la fin de mes études par Selmer, leader mondial de la fabrication de saxophones, en tant que finisseur : un poste technique de précision, car il faut monter les clefs sur le corps de l'instrument et s'assurer qu'elles fonctionnent bien. Après deux ans et demi, j'ai monté mon atelier à Brest. Un grand saut dans l'inconnu, puisque j'ai lâché un confortable CDI[3] pour une vie incertaine d'auto-entrepreneur. Il faut convaincre les banquiers, se faire connaître des écoles de musique et des orchestres locaux… Après deux ans d'activité, je ne me paie pas encore tous les mois. Mais ma famille me soutient et je ne regrette pas mon choix, car tous les jours je manipule les instruments que j'aime et je rencontre des musiciens. »

Télérama, 14 mars 2012.

1. CAP : Certificat d'aptitude professionnelle qui permet d'acquérir les techniques de bases d'un métier.
Il se prépare en deux ans après la 3e.
2. BMA : Brevet des métiers d'art. Il se prépare en deux ans après un CAP.
3. CDI : Contrat à durée indéterminée.

II Exercice en interaction

ACTIVITÉ 2 : Savoir préparer une interaction (1)

Préparer une interaction, c'est essayer de prévoir comment elle peut se dérouler, imaginer ce qui peut se passer.

Or, de façon inconsciente, c'est ce que nous faisons dans notre propre langue. Nous savons, par exemple, que lorsque nous entrons dans un magasin, le vêtement que nous voulons acheter n'est peut-être pas disponible dans notre taille, dans la couleur ou la matière souhaitée, que le prix peut être plus élevé que prévu... et nous nous adaptons et réagissons alors progressivement à la situation.

Pour préparer une interaction, il est nécessaire de transférer en langue étrangère des savoir-faire acquis en langue maternelle.

Apprendre à imaginer le schéma possible d'une interaction permet de se préparer aux éventualités de celle-ci, de la réaliser le plus aisément possible.

Complétez le schéma correspondant à la situation suivante :

Vous allez chercher un vêtement dans une teinturerie où vous êtes cliente.
Malheureusement, vous avez perdu votre ticket.

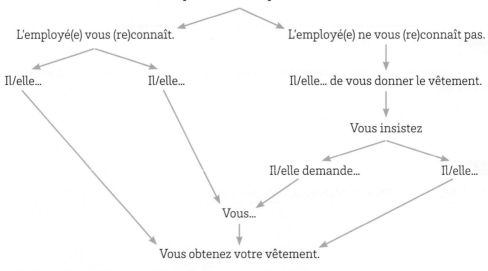

ACTIVITÉ 3 : Savoir préparer une interaction (2)

Imaginez un schéma correspondant à la situation suivante :

Pour remercier une personne, vous voulez lui faire un cadeau.
Vous ne connaissez pas bien cette personne.
Vous demandez conseil à un(e) ami(e) commun(e) à cette personne et à vous.

ACTIVITÉ 4

Vous avez acheté une liseuse et avez déjà téléchargé de nombreux livres.
Vous êtes enchanté(e) de votre achat.

Essayez de convaincre l'examinateur des avantages de la liseuse par rapport à un livre sur papier.

ACTIVITÉ 5

Moment de vie qui s'est inscrite dans notre histoire, appréciée par les parents et les sociologues, la photo de classe reste toujours aussi appréciée, même à l'heure du numérique.

Comprenez-vous que l'on s'attache à cette tradition que certains jugent démodée ? Défendez votre point de vue.

ACTIVITÉ 6

Vous avez décidé de partir deux semaines en vacances avec un(e) ami(e). Vous avez choisi de partir au bord de la mer mais vous n'avez pas encore arrêté les dates. Vous souhaitez partir début juillet.

L'examinateur joue le rôle de l'ami.

ACTIVITÉ 7

Qu'y a-t-il de commun entre le poulet du dimanche, la chantilly et le casse-croûte sur l'aire d'autoroute ? Pour Vincent Delerm[1], ils seraient plutôt de gauche. Les gaufrettes et les massages cardiaques, eux, seraient plutôt de droite. À droite on se brosse les dents pendant trois minutes, à gauche pendant 45 secondes.
« Léonard a une sensibilité de gauche » est un livre-CD pour les enfants qui tente d'expliquer la différence entre la gauche et la droite aux petits.

Pensez-vous possible de parler politique à des enfants de 6 ans ? Parlez-en avec l'examinateur.

1. Vincent Delerm est un auteur-compositeur-interprète français et auteur dramatique né en 1976.

ACTIVITÉ 8

Vous êtes invité(e) à l'anniversaire de mariage d'un couple ami. Vous décidez avec un(e) de vos ami(e)s qui est aussi invité(e) de leur faire un cadeau commun. Qu'allez-vous offrir ? Pourquoi pas un déjeuner dans un bon restaurant ?

L'examinateur joue le rôle de l'ami.

ACTIVITÉ 9

Il y a 100 ans, dans la nuit du 14 au 15 avril 1912, sombrait le *Titanic*. Un siècle plus tard, un navire de croisière, *le Balmoral*, a quitté le grand port de Southampton, au sud de l'Angleterre pour refaire le dernier voyage du *Titanic*. Les mêmes menus qu'il y a un siècle seront servis aux croisiéristes. Certains passagers ont même embarqué en costume d'époque.

Que pensez-vous de ce « tourisme du désastre » ? Parlez-en avec l'examinateur.

ACTIVITÉ 10

Vous passez des vacances chez des amis français. Vous proposez de préparer un plat de votre pays pour le déjeuner du lendemain. Votre hôte(esse) vous demande de quoi vous avez besoin pour sa préparation. Il(elle) demande aussi combien de temps il faut pour préparer ce plat.

L'examinateur joue le rôle de l'ami.

ACTIVITÉ 11

Le chanteur Claude François est décédé accidentellement le 11 mars 1978 en pleine gloire.
Trente-quatre ans plus tard, un film retrace sa fabuleuse histoire.
Mèches blondes, vestes à paillettes, Cloclo, comme on le surnommait, renaît sous les traits
de Jérémie Rénier.

Que pensez-vous de l'idée de produire ainsi un biopic[1] ? Parlez-en avec l'examinateur.

1. Film dont le scénario s'inspire de la vie d'un personnage célèbre.

ACTIVITÉ 12

Un(e) de vos ami(e)s vous a prêté sa voiture pour aller faire des courses. Au moment de la rendre,
vous vous apercevez qu'il y a une rayure sur la portière côté passager.

L'examinateur joue le rôle de l'ami.

ACTIVITÉ 13

Loin des yeux, près du cœur... Grâce à Skype, vous pouvez communiquer avec votre famille, vos amis
qui habitent à l'étranger ou sont tout simplement en voyage. Vous trouvez que cette invention
est tout à fait géniale car elle vous permet de voir vos interlocuteurs quand vous leur parlez.

Trouvez-vous qu'il soit toujours bon de voir ses interlocuteurs quand on leur parle ?
Parlez-en avec l'examinateur.

ACTIVITÉ 14

Alors que vous vous promenez dans un parc, un chien en liberté se précipite sur vous. Il ne vous
mord pas, il veut jouer avec vous. Quand le(la) maître(esse) du chien vient le chercher, vous vous
rendez compte que votre manteau est tout sale, couvert de boue.

L'examinateur joue le rôle du maître du chien.

ACTIVITÉ 15

Brusselicious... Sous ce nom se cache le thème mis à l'honneur à Bruxelles toute l'année 2012 :
la gastronomie.

Le tram fait partie du paysage bruxellois au même titre que sa gastronomie ; il est donc normal de les associer sous leurs meilleurs aspects à l'occasion de Brusselicious. Et nous avons le plaisir de vous proposer une découverte de Bruxelles pas comme les autres : un tram meublé blanc et design qui emmène 34 convives pour deux heures de visite des plus beaux sites de la ville tout en savourant un menu succulent et surprenant imaginé et concocté par un chef étoilé qui s'amuse à revisiter les grands classiques de la gastronomie bruxelloise.

http://visitbrussels.be/

Aimeriez-vous participer à cette visite d'un nouveau genre et savourer le menu
proposé par un des chefs étoilés ? L'examinateur joue le rôle de votre conjoint.

ACTIVITÉ 16

Lisez le texte ci-dessous.

> « Wir leben Autos », nous vivons la voiture… Prononcée en langue allemande, la devise de la marque Opel retient l'attention tous ces jours-ci (sur TF1 et M6), dans la nouvelle campagne publicitaire que le constructeur consacre à sa monospace Zafira. Pare-brise panoramique, sièges pivotants, habitacle modulable : Opel se réclame ici, sans détour ni fausse modestie, de la réputation de qualité faite d'emblée à la production germanique. Voilà encore quelques années, en raison des séquelles de l'histoire, une marque automobile d'au-delà du Rhin n'aurait guère osé s'afficher ainsi dans sa propre langue, même pour trois simples mots, sur des chaînes françaises.
>
> *La Croix,* 12 décembre 2011.

Qu'en pensez-vous ? Parlez-en avec l'examinateur.

ACTIVITÉ 17

Un référendum s'est tenu fin novembre 2011 en Bade-Wurtemberg (Allemagne) au sujet d'un gigantesque projet ferroviaire contesté. Les habitants étaient invités à se prononcer pour la poursuite ou non de la construction d'une gare souterraine à Stuttgart d'ici à 2019. « S21 » désigne à la fois le projet ferroviaire et une longue bataille citoyenne.

Pensez-vous indispensable de demander leur avis aux habitants d'une ville ou d'une commune sur des projets les concernant ? Parlez-en avec l'examinateur.

III | Expression d'un point de vue à partir d'un document déclencheur

ACTIVITÉ 2 : Savoir exprimer son point de vue (1) : organiser son discours

Pour exprimer son opinion il faut savoir :
- révéler l'intérêt du sujet au niveau général et/ou personnel, ce qui permet de l'introduire, généralement à l'aide d'une phrase brève ;
- exprimer son opinion ;
- argumenter, défendre son opinion ;
- réagir aux questions de l'examinateur ;
- relancer éventuellement la discussion ;
- conclure.

Pour vous aider à organiser votre expression, observez, dans le tableau page 126, les amorces de phrases données.
- Dites si elles correspondent à :
  - l'introduction (I) ;
  - la relance de votre expression (après des questions de l'examinateur) (R) ;
  - la conclusion (C) ;
- dites aussi si elles sont nettes (catégoriques) ou nuancées.

Cochez les cases qui conviennent.

Phrases	I	R	C	Nette	Nuancée
Je pense qu'il s'agit d'un sujet...					
Il faudrait aussi préciser que...					
C'est ainsi que je verrais...					
Je crois que c'est une question...					
Il serait peut-être bon de parler de...					
Voilà l'opinion que j'ai de...					
Il convient encore d'ajouter...					
C'est une question particulière, aussi je dirais...					
Je suis persuadé(e) que c'est ainsi que...					
Pour en revenir à notre question, il faudrait...					
Voilà pourquoi j'ai peut-être raison de penser...					
À mon avis, la réponse n'est pas évidente, mais...					

ACTIVITÉ 3 : Savoir exprimer son point de vue (2) : argumenter

Lorsque l'on doit donner son opinion sur un sujet précis, il est indispensable de trouver des arguments pour étayer, appuyer cette opinion.

→ Une bonne argumentation est organisée. Généralement, quand on présente plusieurs arguments, on énonce d'abord les arguments les moins importants et on présente en dernier le plus important car on peut ainsi le développer. Pour introduire ces différents arguments, on utilise alors les articulateurs chronologiques du discours (Voir « Les petits plus – Grammaire »).

→ Lors d'une argumentation, on est amené à :
- explique ses arguments, donner des exemples ;
- nuancer ;
- répondre à une objection :
  • soit en l'écartant nettement,
  • soit en la minimisant, la diminuant,
  • soit en l'acceptant partiellement pour développer aussitôt sa position.

Pour vous aider à choisir les mots appropriés à votre argumentation, observez, dans le tableau page 127, les phrases ou amorces de phrases suivantes et dites si elles correspondent :
- à une explicitation (Ex) ;
- à une nuance (N) ;
- au rejet d'une objection (R) ;
- à la diminution d'une objection (D) ;
- ou encore à une acceptation partielle de cette objection (A).

Cochez les cases qui conviennent.

Amorces de phrases	Ex	N	R	D	A
Dire que... est absurde.					
Il est vrai que.... cependant...					
C'est grâce à...					
Pour ma part, je dirais plutôt...					
Il est exagéré d'affirmer que...					
Pour comprendre cela, il faut ajouter...					
On entend souvent dire que... mais c'est faux !					
Je crois qu'il faut être prudent avant d'affirmer...					
Il est vrai que.... mais je pense....					
Cela ne semble pas très significatif de...					
Je crois que ce n'est pas aussi simple que ça...					
Ce n'est sans doute pas tout à fait faux mais...					

ACTIVITÉ 4

Une des dernières chansons de Thomas Dutronc s'intitule : « On ne sait plus s'ennuyer ».
Il fait allusion au fait que nous sommes tous connectés, que « nous vivons tous en réseau comme des animaux dans un zoo ».

En trois minutes, expliquez pourquoi les gens ne savent plus s'ennuyer et dites si vous êtes d'accord avec Thomas Dutronc.

ACTIVITÉ 5

Vous dégagerez le thème soulevé par le document ci-dessous et vous présenterez votre opinion sous la forme d'un petit exposé de 3 minutes environ. L'examinateur pourra vous poser quelques questions.

Liberté • Égalité • Fraternité

RÉPUBLIQUE FRANÇAISE

Suppression du « Mademoiselle » des documents administratifs

En septembre dernier, Osez le féminisme et Chiennes de garde avaient lancé une campagne intitulée « Mademoiselle, la case en trop ».

Roselyne Bachelot-Narquin, ministre des Solidarités et de la Cohésion sociale, avait demandé au Premier ministre en novembre, au nom de l'égalité, de faire disparaître des documents administratifs « Mademoiselle » au profit du seul « Madame ».

Une circulaire du Premier ministre, datée du 21 février dernier, préconise la suppression de la case « Mademoiselle » de tous les formulaires administratifs.

Comme il est rappelé dans le texte, il s'agit de réaffirmer la demande faite aux administrations, en 1967 et en 1974, de ne pas recourir à l'emploi de certaines formules que ne sauraient constituer un « élément de l'état civil des intéressées ».

Les services administratifs doivent désormais suivre les indications suivantes :

Termes inappropriés	Termes à privilégier
Mademoiselle	Madame
Nom de jeune fille : dans la mesure où il est possible désormais à un homme marié de prendre le nom de son épouse	Nom de famille Nom d'usage
Nom patronymique	Nom de famille, comme préconisé par la loi du 4 mars 2002
Nom d'époux ou nom d'épouse : parce que cette terminologie omet la situation des personnes divorcées ou veuves.	Nom d'usage

http://www.observatoire-parite.gouv.fr, 24 février 2012,.

ACTIVITÉ 6

1. Lisez le texte ci-dessous.

Les pâtes de 16 h 48 mn

Les dates de péremption sont un casse-tête. C'est bien beau d'écrire sur l'emballage qu'il faut manger ces petits pois *« de préférence »* avant juin 2013 ou décembre 2014, mais qu'est-ce qui se passe si on les mange après ? Qu'est-ce qu'on risque ? On se dit qu'il y a forcément de la marge. Mais une marge de combien ? Le casse-tête vire au cas de conscience avec les *« pâtes d'Alsace »*, de la marque Carrefour, que je viens d'acheter. Voici, en effet, ce que dit l'emballage : *« À consommer de préférence avant le 12/05/14 à 16h48 mn. »* Difficile, on en conviendra, de faire plus précis. À 16h49, le 12/05/14, c'est cuit : les pâtes sont immangeables. Danger de mort ! Je m'imagine, le 12 mai 2014, tenant mon paquet de pâtes d'Alsace au-dessus de ma casserole d'eau qui chauffe. Étant donné que, toujours selon l'emballage, le temps de cuisson est de 9 minutes, je dois impérativement jeter mes pâtes dans l'eau bouillante avant 16h40. Si, par malheur, l'eau met plus de temps à bouillir et que, par conséquent, je n'y jette mes pâtes qu'à 16h41, c'est foutu. Adieu les pâtes, adieu la vie, adieu l'amour…

Alain Rémond, *La Croix,* 27 octobre 2011.

2. Quel est votre avis sur la question ? Faut-il ou non respecter les dates de péremption indiquées sur les emballages ? Exprimez-vous en trois minutes environ.

ACTIVITÉ 7

Vous dégagerez le thème soulevé par le document page 129 et vous présenterez votre opinion sous la forme d'un petit exposé de 3 minutes environ. L'examinateur pourra vous poser quelques questions.

Création et héritage : solutions à l'uniformisation

Les civilisations se mélangent, comme les étoffes dans la mode mondialisée, mais l'uniformisation n'est pas inéluctable.

L'uniformisation n'est pas inéluctable grâce à «l'héritage culturel» et aux créateurs, ont estimé mi-avril des responsables d'écoles, réunis à Paris, pour la conférence annuelle de l'IFTTI.

«Nous avons quitté depuis longtemps le kimono ! L'industrie de la mode liée à la culture occidentale va très vite, comme le reste du monde, et les civilisations se mélangent, c'est un mouvement que nous ne pouvons changer», a commenté Satoshi Onuma, président de l'International Foundation of Fashion Technology Institutes, né en 1999 et qui rassemble une quarantaine d'écoles de mode de 20 pays. *«Chaque pays a son propre héritage culturel et c'est le ressort de la créa-tivité, c'est ce que nous enseignons aussi. L'originalité viendra de cet héritage. Nous ne sommes pas forcés de porter tous la même chose»*, a-t-il ajouté, persuadé que la mondialisation n'est *«pas synonyme de standardisation»* mais de *«métissage»* et de regain de créativité.
«C'est vrai qu'avec la mondialisation on peut tous être en jeans mais il y a une vraie demande d'identité.»

Corinne Jeammet,
http://culture.france2.fr

ACTIVITÉ 8

Selon Louise Bourgeois, sculptrice et plasticienne, décédée en 2010, l'araignée représente la mère, « parce que ma meilleure amie était ma mère, et qu'elle était aussi intelligente, patiente, propre et utile, raisonnable, indispensable qu'une araignée ». L'araignée serait donc pour elle le symbole des tapisseries que réparait sa mère (toile de l'araignée) et de tout ce qui s'y rapporte : aiguilles, fils...

Trouvez-vous choquante cette représentation de la mère ou, au contraire, trouvez-vous l'explication de Louise Bourgeois touchante ?

ACTIVITÉ 9

Vous dégagerez le thème soulevé par le document ci-dessous et vous présenterez votre opinion sous la forme d'un petit exposé de 3 minutes environ. L'examinateur pourra vous poser quelques questions.

Cinq fruits et légumes par jour : 73 % des Français ne le font pas

Le message passe en boucle depuis plusieurs années mais rien n'y fait, ça ne rentre pas. Contrairement aux recommandations des autorités de santé, une grande majorité de Français ne consomme pas 5 fruits et légumes par jours. Après avoir étudié le régime alimentaire de 1 222 foyers soit 2 560 personnes pendant une semaine, le centre de recherche pour l'étude et l'observation des conditions de vie (Crédoc) affirme que 73 % des sondés ne respectent pas ces recommandations. Seuls 27 % des Français sont ainsi classés comme « grands consommateurs » de fruits et légumes et en mangent au moins 5 par jour.

http://www.francesoir.fr

//

ACTIVITÉ 10

1. Lisez le texte ci-dessous. //

> Les livres font parfois voyager leurs auteurs. C'est ainsi que je me suis trouvée, il y a peu, dans une belle librairie de Brooklyn, à discuter de ce sujet avec des amateurs de romans new-yorkais. À la fin de l'échange, une des participantes a attendu un peu pour venir, la dernière, me parler. Une jolie femme, plus toute jeune. Elle voulait me dire quelque chose de sa vie qui aurait pu figurer dans mon roman.
>
> Dix ans plus tôt, elle avait perdu son mari, après des mois de maladie. Leurs deux enfants, un fils et une fille, avaient alors 12 et 10 ans. Peu de temps avant de mourir, son mari lui avait confié deux lettres, une pour chacun de leurs enfants, à leur remettre le jour de leur entrée à l'université.
>
> Quelques années plus tard, à deux ans de distance, les lettres ont été remises à leurs destinataires. Elles étaient personnelles, formulées en termes un peu différents à l'un et à l'autre. Mais elles avaient le même contenu. Leur père donnait aux deux jeunes gens la liste des romans qui avaient le plus compté pour lui. Il y en avait une vingtaine. Pour chacun, il expliquait en quelques lignes en quoi ce roman lui semblait majeur. Il ne demandait pas, du reste, à ses enfants de lire ces livres. Il ne leur donnait pas d'autre conseil.
>
> Laurence Cossé, La Croix, 14 septembre 2011.

2. À votre avis, qu'est-ce qu'un « bon » roman ? En 3 minutes environ, parlez d'un livre /////// *qui vous a marqué(e) et expliquez pourquoi.*

ACTIVITÉ 11

Vous avez visité l'exposition de David Hockney qui se tient à Londres jusqu'au 9 avril 2012. David Hockney, né en 1937 à Bradford dans le Yorkshire (Angleterre), s'est toujours servi des nouvelles technologies et a récemment utilisé l'iPhone et l'iPad comme outils de création artistique. 51 dessins faits sur iPad, décrivant de 51 points de vue différents l'arrivée du printemps sont exposés à la Royal Academy of Arts.

Pour vous, l'art peut-il s'exprimer à travers les nouvelles technologies ? ////////////////////////////////////
Vous présenterez votre opinion sous la forme d'un petit exposé de 3 minutes environ.
L'examinateur pourra vous poser quelques questions.

ACTIVITÉ 12

Vous dégagerez le thème soulevé par le document ci-dessous et vous présenterez /////////////////
votre opinion sous la forme d'un petit exposé de 3 minutes en viron. L'examinateur pourra
vous poser quelques questions.

NOTE DE SYNTHÈSE

En France, l'inscription sur les listes électorales est obligatoire, mais le vote ne l'est pas.
En effet, l'obligation de voter s'applique uniquement pour les élections sénatoriales, les grands électeurs qui s'abstiennent sans raison valable étant condamnés au paiement d'une amende de 4,57 €. Face à la montée du taux d'abstention, plusieurs parlementaires appartenant aussi bien à la majorité qu'à l'opposition ont, au cours des derniers mois, déposé des propositions de loi tendant à rendre le vote obligatoire.   http://www.senat.fr

ACTIVITÉ 13

Facebook, twitter, Linkedin, myspace…

Peut-on encore s'en passer ? Est-il indispensable d'être membre d'un ou plusieurs réseau(x) social/aux ? Si oui, lequel de préférence ? En 3 minutes environ, donnez votre avis sur la question.

ACTIVITÉ 14

Commerce de proximité ou grande surface ? Avec la crise et l'augmentation du prix des carburants, les consommateurs s'interrogent de plus en plus sur la réalité des avantages à faire ses courses dans des grandes surfaces.

Les grandes surfaces sont-elles synonymes d'économies ? Et vous, qu'en pensez-vous ? Préférez-vous les petits commerces près de chez vous ou les grandes surfaces ?

ACTIVITÉ 15

« Un dîner presque parfait », « Master Chef », « Top Chef », les programmes télé proposent des émissions culinaires à toutes les sauces.

Que signifie ce succès ? Un intérêt pour la bonne chère, un nouveau besoin de convivialité familiale ou tout autre chose ?
En 3 minutes environ, donnez votre avis sur la question.

ACTIVITÉ 16

Les Français continuent à aller toujours aussi nombreux au cinéma, alors qu'aujourd'hui, on peut voir des films sur son smartphone ou sur une tablette numérique.

Préférez-vous aller au cinéma ou regarder des films sur Internet ? Quels sont les avantages et/ou les inconvénients de l'un ou de l'autre ? Donnez quelques exemples. Expliquez votre choix en trois minutes environ.

ACTIVITÉ 17

Selon le compositeur américain George Gershwin (1898-1937), « *il n'y a que deux sujets de chansons possibles : Paris et l'amour* », deux sujets d'ailleurs souvent associés…

En trois minutes environ, essayez d'expliquer pourquoi l'image de Paris associée à l'amour se perpétue de manière aussi inaltérable et donnez votre point de vue.

Production ECRITE

A comme... *aborder la production écrite*

Description de l'épreuve

L'épreuve de production écrite consiste en l'expression d'une attitude personnelle sur un thème général. Elle peut prendre la forme, par exemple :
- d'un courrier ;
- d'un compte rendu ;
- d'un article ;
- d'un essai.

La durée de cette épreuve est de **45 minutes**.

Pour vous aider...

- Lisez attentivement le sujet de l'épreuve ;
- Faites apparaître les éléments constitutifs du sujet, ses étapes ;
- Faites alors un brouillon pour :
  - classer vos idées, les organiser,
  - élaborer un premier plan faisant apparaître :
    - une introduction annonçant selon le cas, votre sujet, votre point de vue,
    - le corps de votre texte avec ses paragraphes,
    - une conclusion,
  - reprendre votre plan en le détaillant, en notant les enchaînements entre les idées, les paragraphes. Faites un brouillon clair et organisé : si vous n'avez pas le temps de tout noter sur la feuille de réponse, vos notes seront prises en compte.
- Rédigez votre texte sur la feuille de réponse en suivant votre deuxième plan détaillé.
  Évitez de le faire au brouillon : vous risquez de ne pas avoir le temps de tout recopier.
  Respectez la longueur demandée.
  Soignez la présentation et votre écriture, évitez les ratures.
- Relisez-vous, corrigez vos fautes, vérifiez la ponctuation.

• **Dans le cas d'un courrier,** respectez-en la présentation, soignez particulièrement les formules d'appel et de politesse en fonction du destinataire du courrier.

• **Dans le cas d'un compte rendu,** veillez à bien classer les divers éléments dont vous devez faire état, à les présenter de façon claire et concise.

• **Dans le cas d'un article,** donnez-lui un titre percutant, qui donne envie de le lire, rédigez si possible un chapeau précisant le titre. Des intertitres brefs, accompagnant les paragraphes, peuvent également en faciliter la lecture et la rendre plus attractive.

• **Dans le cas d'un essai,** analysez bien la question qui vous est posée. Déterminez clairement votre position afin de trouver les arguments nécessaires pour étayer votre thèse, les classer, les organiser et les présenter de façon cohérente.

B comme... *brancher*

Exemple d'une activité à réaliser

Pour vous préparer à l'épreuve de production écrite, réalisez l'activité suivante.

 Article

ACTIVITÉ 1

Cette année, le printemps est arrivé plus tôt que d'habitude et les températures, pendant quelques jours, étaient presque celles d'un début d'été. Les terrasses des cafés et des restaurants débordaient de consommateurs se chauffant au soleil... Les rues offraient le spectacle étonnant du mélange du « chaud » et du « froid ». Hommes en manches de chemise ou en manteaux, femmes exhibant robes fleuries décolletées ou chaudes « doudounes » se côtoyaient, aucune de ces tenues n'étant vraiment appropriée...

Étonné(e) et amusé(e) par ce spectacle et la précipitation des gens à vouloir « tourner la page » de l'hiver, vous écrivez un article pour le journal de votre ville. Vous décrivez quelques scènes auxquelles vous avez assisté et donnez des conseils à ceux que vous jugez aussi bien trop confiants que trop méfiants envers la météo.
Votre texte comportera 160 à 180 mots. //

Évaluez votre production écrite ci-dessous.

C comme... *contrôler la production écrite* ///

Grilles de correction

La production écrite est notée sur **25 points** :
- L'**activité** elle-même est notée sur **13 points** :
  - le respect de la consigne est noté sur **2 points**,
  - la capacité à présenter des faits est notée sur **4 points**,
  - la capacité à exprimer sa pensée est notée sur **4 points**,
  - la cohérence et la cohésion sont notées sur **3 points**,

- La **compétence lexicale et l'orthographe lexicale** sont notées sur **6 points**.

- La **compétence grammaticale et l'orthographe grammaticale** sont notées sur **6 points**.

> **Pour vous aider à améliorer vos résultats**
>
> • Revoyez les points de grammaire qui vous ont posé quelques difficultés (voir les « Petits plus - Grammaire ») ;
>
> • Revoyez aussi les éléments lexicaux qui vous ont fait défaut (voir les « Petits plus - Lexique ») ;
>
> • Entraînez-vous à élaborer des plans clairs et à organiser vos idées et vos arguments.

ÉVALUATION DE L'ACTIVITÉ

Évaluez-vous à l'aide de la grille dont dispose l'examinateur :

Respect de la consigne Peut mettre en adéquation sa production avec le sujet proposé. Respecte la consigne de longueur minimale indiquée.	0	0,5	1	1,5	2			
Capacité à présenter des faits Peut décrire des faits, des événements ou des expériences.	0	0,5	1	1,5	2	2,5	3	3,5	4
Capacité à exprimer sa pensée Peut présenter ses idées, ses sentiments et ou ses réactions et donner son opinion.	0	0,5	1	1,5	2	2,5	3	3,5	4
Cohérence et cohésion Peut relier une série d'éléments courts, simples et distincts en un discours qui s'enchaîne.	0	0,5	1	1,5	2	2,5	3		

Évaluez-vous à l'aide de la grille dont dispose l'examinateur :

Étendue du vocabulaire Possède un vocabulaire suffisant pour s'exprimer sur des sujets courants, si nécessaire à l'aide de périphrases.	0	0,5	1	1,5	2
Maîtrise du vocabulaire Montre une bonne maîtrise du vocabulaire élémentaire mais des erreurs sérieuses se produisent encore quand il s'agit d'exprimer une pensée plus complexe.	0	0,5	1	1,5	2
Maîtrise de l'orthographe lexicale L'orthographe lexicale, la ponctuation et la mise en page sont assez justes pour être suivies facilement le plus souvent.	0	0,5	1	1,5	2

ÉVALUATION DE LA COMPÉTENCE GRAMMATICALE/ORTHOGRAPHE GRAMMATICALE

Évaluez-vous à l'aide de la grille dont dispose l'examinateur :

Degré d'élaboration des phrases Maîtrise bien la structure de la phrase simple et les phrases complexes les plus courantes.	0	0,5	1	1,5	2
Choix des temps et des modes Fait preuve d'un bon contrôle malgré de nettes influences de la langue maternelle.	0	0,5	1	1,5	2
Morphosyntaxe – orthographe grammaticale Accord en genre et en nombre, pronoms, marques verbales, etc.	0	0,5	1	1,5	2

Quel total obtenez-vous ? Avez-vous au moins la moyenne (12,5/25) ?

Proposition de correction

 Article

ACTIVITÉ 1

En avril... pas d'un fil !

Apparition anticipée du printemps… Tenues chaudes ou légères, nos concitoyens se découvrent…

Il n'aura échappé à personne que le printemps est là depuis quelques jours pour notre plus grand bonheur… ou presque ! Que dire en effet du problème que nous pose le choix de nos vêtements le matin ? Prudent(e), vous avez décidé de garder encore votre manteau : au petit matin et le soir il fait encore trop froid… et à midi vous suez à grosses gouttes ! Optimiste, vous avez décidé d'étrenner votre toute nouvelle robe fleurie et vos jolies sandales… et le soir, en rentrant chez vous, vous grelottez !

Comme les escargots on veut sortir de sa coquille…vestimentaire et braver les rhumes… Un air de gaieté flotte dans l'air, les sourires s'affichent sur les visages… malgré la lutte pour une table sur une terrasse au soleil… Quel délice cette première glace, les yeux cachés derrière de grandes lunettes !

Le froid revient ?… Dommage pour les robes légères, les doudounes vont jouer les prolongations… Tant pis ! Ce qui est pris est pris !

(180 mots)

D comme... DELF

Pour mieux connaître les types de textes et vous aider à les rédiger, réalisez les deux activités suivantes :

ACTIVITÉ 1 : Définitions

L'épreuve de production écrite consiste à rédiger, selon les cas, une lettre, un article, un compte rendu ou encore un essai. En quoi consistent ces écrits ?

Observez le tableau ci-après. Quelles définitions correspondent à chaque terme ?

Termes	Dictionnaire du Français – Référence Apprentissage, J. Rey-Debove, CLE International	www.linternaute.com
1. Un article	**A.** un écrit que l'on adresse à quelqu'un pour lui dire quelque chose, pour lui communiquer quelque chose.	**a.** exposé, récit d'un événement, de faits particuliers.
2. Un compte rendu	**B.** un texte, un livre dans lequel l'auteur dit ce qu'il pense sur un sujet.	**b.** ouvrage littéraire présentant quelques idées sans que son auteur prétende épuiser le sujet.
3. Un essai	**C.** texte complet sur un sujet. Il fait partie d'un journal, d'un livre.	**c.** texte que l'on envoie.
4. Une lettre	**D.** récit d'un événement fait par une personne qui l'a vécu.	**d.** texte formant un tout par son sujet au sein d'une publication.

1. : ....   **2. :** ....   **3. :** ....   **4. :** ....

ACTIVITÉ 2 : Les connecteurs temporels et logiques

Quel que soit le texte que vous aurez à rédiger, il vous faudra utiliser correctement les articulateurs temporels ou logiques, et pour cela, bien les connaître.
Si les articulateurs temporels (par exemple : *d'abord...*, *ensuite...*, *enfin...*) ne présentent en général pas de difficultés, il n'en est pas toujours de même pour les articulateurs logiques, appelés aussi argumentatifs.

Dans le tableau page 137, attribuez à chaque articulateur sa fonction, son sens.

Ces termes permettent d'introduire : une cause, une conséquence, une opposition, une concession, l'ajout d'un élément, une conclusion.

Cochez la case qui convient.

Articulateurs	Cause	Conséquence	Opposition	Concession	Ajout	Conclusion
c'est pourquoi…						
même si…						
par ailleurs…						
puisque…						
cependant…						
finalement…						
d'où…						
alors que…						
or…						
en effet…						
quand même…						
d'autre part…						
par contre…						
bref…						
comme…						

(Pour plus de précisions, consultez les pages « Petits plus – Grammaire ».)

II Courrier

ACTIVITÉ 1 : Disposition des éléments d'une lettre

Lorsque vous rédigez une lettre, surtout s'il s'agit d'une lettre à caractère officiel ou administratif, il est important de bien disposer les différents éléments qui la constituent.

Observez le schéma page 138.
Où devez-vous écrire :

a. Votre nom et votre adresse ? ....

b. Le nom et l'adresse de la personne à qui vous écrivez ? ....

c. Le lieu d'où vous écrivez et la date à laquelle vous écrivez ? ....

d. L'objet de votre lettre ? ....

e. La formule d'appel ? ....

f. Le corps de votre lettre ? ....

g. La formule de politesse, ou de salutations (la fin de la lettre) ? ....

h. Votre signature ? ....

Dans le cas d'une réponse à une lettre, où écrivez-vous les références ? ....

Si vous envoyez des documents avec votre lettre, où indiquez-vous le nombre et la nature de ces pièces jointes ? ....

Dans le cas d'une lettre amicale, quels sont les éléments qui ne figurent généralement pas sur la lettre ? ....

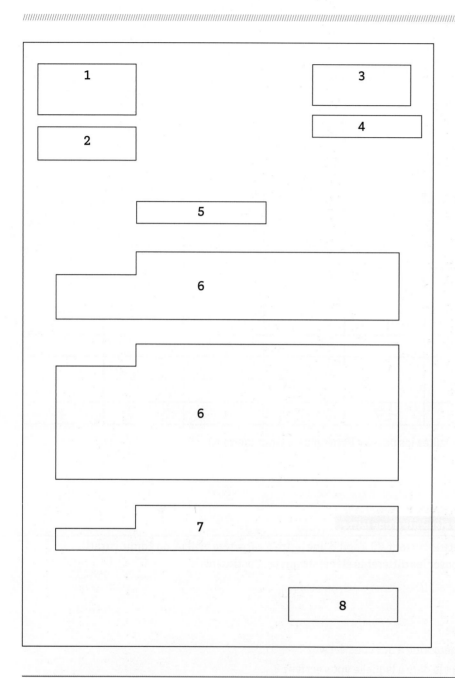

ACTIVITÉ 2 : Rédaction d'une lettre

Si la rédaction d'une lettre amicale ne fait pas l'objet de règles strictes, une lettre administrative doit être rédigée de façon claire et précise. Le style doit être soigné et courtois. Il faut de même éviter les phrases trop longues et les répétitions. Il faut enfin respecter l'utilisation des formules d'appel et de politesse, la formule de politesse reprenant la formule d'appel. En fait, assez rituelles, ces formules sont faciles à mémoriser car leur nombre est relativement réduit.

Les lettres que vous pourrez avoir à rédiger dans l'épreuve d'expression écrite auront par exemple pour thème la réaction à une annonce ou une décision, une réclamation, une protestation, une demande ou encore une proposition.

a. À chaque situation, associez trois formules d'appel et trois formules de politesse :

Vous écrivez une lettre à caractère formel à...	Appel	Formule de politesse
A. ... une personne que vous connaissez peu ou pas du tout.	**1.** Cher Monsieur,	**a.** Veuillez agréer... l'expression de mes salutations distinguées.
	2. Monsieur, Madame,	**b.** Soyez assuré(e)... de mon (très) bon souvenir.
	3. Chère Madame,	**c.** Je vous prie, ..., de bien vouloir agréer mes meilleures salutations.
B. ... une personne que vous connaissez assez bien ou bien.	**4.** Cher(ère) amie(e),	**d.** Je vous adresse, ..., mes bien cordiales salutations.
	5. Monsieur le Directeur,	**e.** Veuillez agréer... mes cordiales salutations.
	6. Madame, Monsieur,	**f.** Veuillez croire, ..., en (toute) ma sympathie.

A. : .... / ....   **B. :** .... / ....

b. Quelles formules utiliseriez-vous dans les situations suivantes ?
Associez à chaque situation la formule correspondante.

Vous écrivez pour...	Vous pouvez utiliser la formule
1. réclamer	**a.** Suite à votre annonce du...
2. exprimer votre regret	**b.** J'ai le plaisir de...
3. répondre à une annonce	**c.** Je me vois obligé(e) de rejeter (repousser)...
4. réagir à une information	**d.** Il m'est malheureusement impossible, pour des raisons personnelles de...
5. refuser	**e.** Je vous serais reconnaissant(e) de bien vouloir...
6. proposer	**f.** Je vous prie de bien vouloir, dans les plus brefs délais...
7. demander quelque chose	**g.** Je me permets de vous écrire pour vous dire qu'il est inadmissible...
8. protester	**h.** Je suis surprise d'apprendre que...

1. : .... – **2. :** .... – **3. :** .... – **4. :** .... – **5. :** .... – **6. :** .... – **7. :** .... – **8. :** ....

//

ACTIVITÉ 3

René Magritte, *Le Fils de l'homme*, 1964.

Vous avez accepté de servir de modèle pour René Magritte[1], peintre de renommée mondiale.

À la vue du résultat, vous êtes très enthousiaste et écrivez une lettre à l'artiste.
(Entre 160 et 180 mots)

1. René Magritte (1898-1967) : peintre surréaliste belge.

ACTIVITÉ 4

Ces derniers jours, vous avez reçu plusieurs faux messages de banques vous invitant à cliquer sur un lien pour régulariser un problème en fait inexistant !.... Vous en avez parlé à votre banquier qui vous a conseillé de ne jamais ouvrir ce type de messages dont le but est d'usurper vos identifiants. Il vous a assuré que les banques ne contactaient jamais leurs clients de cette façon.

Vous savez un(e) de vos ami(e)s trop confiant(e) face aux messages qu'il/elle reçoit.
Vous lui envoyez un courriel pour lui expliquer cette situation et le (la) mettre en garde.
Rédigez ce courriel. Votre message comportera 160 à 180 mots.

ACTIVITÉ 5

Vous avez reçu pour Noël un nouvel ordinateur portable. Au moment d'écrire un courriel à votre amie, vous constatez que les signes diacritiques[1] ne figurent plus sur le clavier qwertz.

Vous écrivez une lettre au fabricant pour lui demander de vous aider.
(Entre 160 et 180 mots).

1. Un signe diacritique est un signe qui permet de distinguer deux mots homographes. Par exemple, la cédille du « ç » ou l'accent grave de « à ».

ACTIVITÉ 6

Votre téléphone portable à carte étant tombé en panne, vous avez dû en acheter un autre. Lors de cet achat, vous avez précisé au vendeur que vous voyagez souvent à l'étranger. Lors de vos premiers voyages qui ont eu lieu en Europe, votre téléphone vous a donné toute satisfaction. Trois mois plus tard, vous vous êtes rendu(e) à Montréal. Dès votre arrivée, vous avez constaté que vous ne pouviez pas vous servir de votre téléphone. Pensant à un problème de connexion avec l'étranger, vous avez appelé le service client de votre compagnie. Malgré vos explications (votre appareil fonctionnait encore le matin même et vous avez souscrit depuis 5 ans à la « couverture monde »), un dysfonctionnement de l'appareil a été diagnostiqué et il vous a été

conseillé de régler ce problème à votre retour en France. Lorsque vous vous rendez à la boutique de la compagnie, un vendeur autre que celui que vous connaissiez, voit tout de suite que la puissance de l'appareil est en fait trop faible.

Très mécontent(e), vous décidez d'envoyer une lettre à la direction de la compagnie téléphonique pour expliquer votre cas et réclamer le remboursement de l'appareil et des communications passées avec le service client (49 dollars). Votre message comportera 160 à 180 mots.

ACTIVITÉ 7

Pour fêter la fin du stage de français, vous avez apporté une spécialité de votre pays. Une des participantes vous en demande la recette. Vous la lui envoyez sur Twitter.

Écrivez le tweet en 140 caractères maximum (espaces compris).

ACTIVITÉ 8

Depuis une dizaine d'années, vous êtes membre de l'association « Jouez avec nous » qui rassemble des amateurs de jeux de table : jeu d'échecs, de dames, de go, de scrabble et autres. Le président ayant décidé de ne pas se représenter pour un nouveau mandat, il vous invite à faire acte de candidature à sa succession. Sensible à cette marque de confiance et d'amitié, vous avez toutefois décidé de décliner la proposition qui vous est faite.

Vous écrivez au président de l'association pour lui faire part de votre décision et lui exposer vos raisons. Votre message comportera 160 à 180 mots.

ACTIVITÉ 9

Marie-Luce vient de retrouver la nounou[1] de son fils sur Facebook. Elle était retournée dans son pays et n'avait plus donné signe de vie.

Marie-Luce lui envoie un message sur Facebook pour lui dire combien elle serait contente de savoir ce qu'elle est devenue et pour lui donner des nouvelles de la famille. (entre 160 et 180 mots)

1. Nounou : une nourrice en langage enfantin.

ACTIVITÉ 10

En consultant l'annuaire téléphonique de votre ville, vous vous rendez compte qu'une vingtaine de personnes portent exactement le même nom que le vôtre, certaines ayant aussi le même prénom ! Vous avez alors l'idée d'organiser une rencontre entre toutes ces personnes.

Après avoir relevé leurs adresses, vous leur envoyez une lettre circulaire pour leur exposer votre idée et leur proposer une date et un lieu permettant une rencontre conviviale, autour d'un verre par exemple. Votre message comportera 160 à 180 mots.

//

ACTIVITÉ 11

À partir du printemps 2012, l'éthylotest sera obligatoire dans toutes les voitures.
Vous pensez que cette mesure ne fera pas diminuer le nombre d'accidents car les gens ne feront pas le test avant de prendre le volant. D'autre part, comme il est à usage unique, il faudra en acheter un bon nombre, ce qui est du gaspillage.

Écrivez une lettre de lecteur au journal local. (Entre 160 et 180 mots) ///////////////////////////////////////

_____

ACTIVITÉ 12

Vous avez lu dans une revue un article sur le cojardinage. Le principe est simple : vous prêtez votre terrain à un jardinier en herbe et vous partagez la récolte.
Cela vous intéresse parce que vous possédez un petit bout de jardin, mais vous n'avez ni le temps ni les connaissances pour l'entretenir. Sur le site internet « pretersonjardin.com », vous lisez à la rubrique « Échange » l'annonce suivante :
« Je suis à la recherche d'un petit jardin potager car je suis passionnée de jardinage et je rêve d'avoir une petite parcelle (type jardin ouvrier) pour pouvoir consommer ma propre production. »

Vous répondez à l'annonce en précisant ce que vous attendez de cet échange. ///////////////////////////
(Entre 160 et 180 mots)

III Compte rendu

ACTIVITÉ 1 : Caractéristiques du compte rendu

Lisez les affirmations suivantes. Correspondent-elles au compte rendu de l'épreuve ////////
d'expression écrite du DELF B1 ? Pensez-vous qu'elles sont vraies (V), fausses (F)
ou ne le savez-vous pas (NSP) ?

Affirmations	V	F	NSP
Il s'agit de faire le compte rendu d'un texte.			
Le sujet vous place dans une situation donnée.			
Il peut s'agir de rapporter des faits auxquels vous avez participé.			
Il peut s'agir de rapporter des faits auxquels vous avez assisté.			
Les faits que vous devez rapporter ne sont jamais dramatiques.			
Vous pouvez ne pas rapporter tous les faits donnés.			
Vous êtes obligé(e) de rapporter les faits dans l'ordre où ils vous sont donnés.			
Il est préférable de faire un plan, d'organiser les informations à présenter.			
Il faut veiller à bien articuler les informations entre elles.			
Vous avez le choix de la longueur de votre texte.			
Le ton du texte doit être en accord avec la ou les personnes à laquelle / auxquelles il est destiné.			
Les destinataires du compte rendu attendent toujours que celui-ci conclue sur des propositions.			

ACTIVITÉ 2

Vous avez fait un voyage en Bretagne avec des amis. À quelle période êtes-vous parti(e) ?
Comment y êtes-vous allé(e) ? Quels endroits / villes avez-vous visités(es) ? Où avez-vous logé (hôtel, gîte...) ?
Qu'avez-vous mangé ? Avez-vous rapporté des souvenirs ?

Vous en faites un compte rendu en 160 à 180 mots.

ACTIVITÉ 3

Vous êtes le (la) secrétaire de l'association « Vacances pour tous » qui milite pour offrir des vacances
aux enfants défavorisés. Pour le compte de votre association, vous avez participé au vide-grenier
de St-Didier-la Forêt (voir activité 19 page 67). Les objets que vous avez vendus avaient été offerts
par des membres de l'association et des sympathisants.

*Vous rédigez un compte rendu de votre journée vide-grenier pour en faire part
aux membres de l'association lors de votre prochaine réunion.
Votre texte comportera 160 à 180 mots.*

Vous y mentionnez la date, le lieu, les conditions de votre installation, les objets que vous avez
vendus, la somme que vous avez réunie, l'ambiance de la journée et l'accueil que le public a réservé à
votre association. Proposez-vous de renouveler l'opération ?

ACTIVITÉ 4

Vous habitez une ville moyenne du sud de l'Allemagne et faites partie d'une association qui s'occupe
de vendre chaque année 50 000 mangues du Burkina Faso au début du mois de mai. Le produit de
la vente servira à la construction d'écoles et permettra ainsi à des milliers d'enfants de suivre une
scolarité pendant une année.
Vous avez assisté à une réunion où les derniers préparatifs ont été mis au point :
- Répartition des 250 bénévoles
- Le prix des mangues est de 2,50 € /pièce ou 25 € pour un carton de 12 mangues.
- Durée de l'opération
- Organisation du transport de Paris, Bruxelles, Ostende ou Francfort
- Points de vente / heures
- Conservation au frais des mangues jusqu'à la vente
- Numéros de téléphone des organisateurs
- Publicité /communiqués de presse
- Affichage
- Que faire des fruits invendus ?
- Où seront déposées les recettes ?
- À qui l'argent sera-t-il remis ?

Rédigez un compte rendu (160 et 180 mots) pour le président de l'association.

1. Indiquez la date et le lieu de la réunion.
2. Rappelez l'ordre du jour et les noms des participants ainsi que leur fonction.
3. Présentez les différents points abordés.
4. Présentez les décisions prises.
5. Indiquez la date et le lieu de la prochaine réunion.

///

ACTIVITÉ 5

Vous rentrez chez vous après votre première journée de travail.

Vous rédigez un compte rendu de cette journée que vous consignez /////////////////////////////////
dans votre journal intime. Votre texte comportera 160 à 180 mots.

À quelle heure êtes-vous arrivé(e) ? Qui avez-vous rencontré ? Quel accueil vous a-t-il été réservé ?
Comment est le lieu de votre travail ? Comment s'est passé votre journée ? Qu'avez-vous fait ? Quels
sont vos sentiments ?

___

ACTIVITÉ 6

Cette année, vous avez passé vos vacances loin des bungalows et des campings traditionnels
et avez loué « un lit au pré ».

Une fois rentré(e), vous rédigez un compte rendu (160 à 180 mots) pour convaincre /////////////////////
des amis à se joindre à vous pour quelques jours.

Pour vous aider :
- On vit au rythme du soleil ;
- Pas d'électricité ;
- Cuisine sur un poêle à bois ;
- Dîner aux chandelles ;
- Visite de la ferme ;
- Réveil au chant du coq ;
- Tentes meublées à l'ancienne ;
- Plancher en bois massif ;
- Produits de la ferme ;
- Ramassage des œufs dans le poulailler ;
- Pas de portable ;
- Les enfants apprennent la vie à la campagne.

___

ACTIVITÉ 7

Vous habitez une petite ville en bord de mer. Comme tous les ans à la même époque, avant l'été,
vous dirigez une petite équipe de volontaires chargés de nettoyer la plage.

Vous devez informer les services techniques de la ville du déroulement ///////////////////////////////////
de la première journée de nettoyage. Votre texte comportera 160 à 180 mots.

À quelle heure avez-vous commencé ? Combien étiez-vous ? Qui étaient ces volontaires ?
Comment étiez-vous équipés ? Comment avez-vous organisé l'équipe ? Le travail ? Qu'avez-vous retiré ?
Qu'en avez-vous fait ? À quelle heure avez-vous terminé ? Que proposez-vous pour la suite du nettoyage ?

ACTIVITÉ 8

Vous avez été invité(e) à une réunion chez un éditeur qui voudrait publier un nouveau manuel scolaire pour l'apprentissage de la lecture et vous a demandé d'en être l'auteur(e).

Après la séance, vous rédigez un compte rendu (160 à 180 mots) pour le directeur à partir des notes que vous avez prises.

- Date de la réunion ;
- Lieu de la réunion ;
- Participants à la réunion ;
- Noms des auteur(e)s ;
- Format ;
- Nombre de pages ;
- Nombre de pages par chapitre ;
- Couleurs/noir en blanc ;
- Photos ;
- Date de parution ;
- Date de remise du manuscrit ;
- Date de la prochaine réunion.

ACTIVITÉ 9

Étudiant(e), vous avez décidé de vous inscrire au Genepi, le Groupement étudiant national d'enseignement aux personnes incarcérées. Vous les aidez à préparer des diplômes scolaires et vous animez divers ateliers, par exemple d'écriture.

Pour les responsables du Genepi, vous rédigez le compte rendu de votre premier mois de volontariat en milieu carcéral. Votre texte comportera 160 à 180 mots.

Vous dites comment vous avez connu le Genepi et quelles sont les raisons de votre engagement. Quelle est la fréquence de vos interventions ? Pourquoi ? Quels ateliers animez-vous ? Qu'est-ce que cette occupation vous apporte ? Quelles propositions de nouveaux ateliers faites-vous ?

ACTIVITÉ 10

Membre de l'association « Les amis du musée », vous aimeriez organiser une exposition de peintures et gravures sur le thème de « La guerre des paysans » dans la ville jumelée avec la vôtre. Vous avez assisté à une réunion où l'organisation de l'exposition et du vernissage ont été mises au point :

- Dates de l'exposition ;
- Date et heure du vernissage ;
- Intervenants ;
- Organisation de l'exposition ;
- Nombre d'œuvres exposées ;
- Organisation de conférences autour du sujet ;
- Visites pédagogiques ;
- Invitations ;
- Budget de l'exposition ;
- Communiqués de presse.

Rédigez un compte rendu (160 et 180 mots) pour le président de l'association.

1. Indiquez la date et le lieu de la réunion.
2. Rappelez l'ordre du jour et les noms des participants ainsi que leur fonction.
3. Présentez les différents points abordés.
4. Présentez les décisions prises.
5. Indiquez la date et le lieu de la prochaine réunion.

D comme... DELF

ACTIVITÉ 11

Le 1er mai, en France, il est possible de vendre du muguet sur la voie publique : il suffit d'en demander l'autorisation à la mairie. Dans les bois près de votre petite ville, il y a beaucoup de muguet. Vous êtes membre d'un club sportif et avec vos ami(e)s, vous avez décidé de vendre du muguet et de consacrer l'argent récolté à de nouvelles tenues.

Vous rédigez un compte rendu de votre journée à l'intention du président de votre club.
Votre texte comportera 160 à 180 mots.

Qui a participé à cette journée ? Combien étiez-vous ? Comment vous êtes-vous organisés ?
Qui est allé cueillir le muguet ? Qui a fait les bouquets ? Qui les a vendus ? Où dans la ville ?
À quel prix ? Combien la vente vous a-t-elle rapporté ? Est-ce suffisant pour l'achat de vos tenues ?

IV Article

ACTIVITÉ 2 : Caractéristiques de l'article

Lisez les propositions suivantes.
Cochez celle(s) qui vous semble(nt) correspondre à la définition d'un bon article.

1 • **Un bon article présente de préférence :**
   a. ☐ un seul sujet
   b. ☐ deux sujets
   c. ☐ plusieurs sujets

2 • **Il doit répondre aux 5 questions suivantes :**
   a. ☐ qui, quand, où, combien, pourquoi
   b. ☐ qui, quand, où, comment, quoi ou pourquoi
   c. ☐ qui, où, quand, quoi, pourquoi

3 • **Il peut s'agir d'un article de fond. Dans ce cas :**
   a. ☐ il survole un phénomène
   b. ☐ son sujet peut être actuel ou non
   c. ☐ il examine en détail un phénomène

4 • **Il peut s'agir d'un article d'opinion. Dans ce cas :**
   a. ☐ on l'appelle aussi éditorial ou chronique
   b. ☐ il présente l'opinion de son auteur
   c. ☐ il présente l'opinion des lecteurs

5 • **Pour inciter le lecteur à lire l'article, le titre doit :**
   a. ☐ être suffisamment long et explicite
   b. ☐ ne pas comporter de verbe
   c. ☐ être court et persuasif

6 • **Le titre de l'article est précédé par :**
   a. ☐ un résumé
   b. ☐ un surtitre
   c. ☐ un chapeau

7 • **Au-dessous du titre, il peut y avoir :**
   a. ☐ un sous-titre qui précise le titre
   b. ☐ un sous-titre qui annonce le plan de l'article
   c. ☐ un sous-titre qui résume l'article

8 • **Dans un bon article, les idées peuvent être présentées**
   a. ☐ dans des paragraphes introduits par un intertit
   b. ☐ dans un texte suivi, sans paragraphes
   c. ☐ dans des paragraphes ni trop courts ni trop longs mais complets

ACTIVITÉ 3

À l'occasion de la journée de la femme, célébrée chaque année le 8 mars, vous avez interviewé quelques passantes dans la rue. Vous leur avez demandé ce qu'elles pensaient de la galanterie. Vous avez pris des notes.

Écrivez un article pour votre journal à partir des notes que vous avez prises
(entre 160 et 180 mots). Choisissez un titre court et percutant. Rédigez des sous-titres.
Ils doivent permettre de souligner les points forts de votre article.

- Un homme galant l'est continuellement et pas uniquement en payant au restaurant. (Julie, 45 ans)
- J'apprécie qu'un homme m'aide à mettre mon manteau, qu'il m'ouvre la portière de la voiture pour monter et descendre. (Gisèle, 55 ans)
- Même moi qui suis féministe, j'apprécie la galanterie. C'est tout simplement un geste de politesse et de respect envers les femmes. (Isabelle, 54 ans)
- J'aimerais que mon mari soit galant... (Amélie, 60 ans)
- Oui, je trouve bien agréable qu'un homme me laisse passer devant lui pour monter dans l'autobus.
- Être galant n'est pas un signe de supériorité de l'homme sur la femme.
- Il faudrait réapprendre aux jeunes ce qu'est la galanterie (Michèle, 65 ans)
- La galanterie ? Oui, elle existe encore.
- J'aimerais tellement que quelqu'un me cède sa place dans le métro...
- Non, pour moi la galanterie n'est ni ridicule ni vieux jeu. (Marie, 17 ans)
- Les garçons de ma classe ne connaissent pas la galanterie. Je trouve ça regrettable.

ACTIVITÉ 4

Vous travaillez dans une grande entreprise de plus de 300 employés. Vous avez assisté, comme beaucoup de vos collègues, à la petite fête de départ à la retraite de la directrice des relations humaines.

Pour le journal de l'entreprise, vous rédigez un article sur cette cérémonie. N'oubliez pas de donner un titre à votre article. Votre texte comportera 160 à 180 mots.

Vous rappelez qui est cette personne, quel poste elle occupait dans l'entreprise et depuis combien de temps. Vous donnez quelques précisions sur le déroulement de la fête : nombre de personnes, personnalités présentes, discours, cadeaux, buffet...

ACTIVITÉ 5

À l'occasion du prochain Salon du Livre de Paris qui se tiendra du 16 au 19 mars 2012, le 7e Prix France Culture-Télérama récompensera le « meilleur roman français paru durant l'hiver ». Comme l'année précédente, deux auditeurs de France Culture et deux lecteurs de *Télérama* seront conviés à participer et à voter.

Pour faire partie du jury, il vous suffira de choisir un roman paru en automne 2011 et d'écrire votre critique. Écrivez un texte entre 160 à 180 mots.

ACTIVITÉ 6

Vous écrivez dans un journal de votre ville. Un(e) de vos ami(e)s d'enfance est venu(e) passer des vacances dans sa famille, comme tous les ans depuis près de 20 ans. Après une formation de cuisinier(ère) votre ami(e) est parti(e) travailler à l'étranger, dans un restaurant. Quelques années plus tard, grâce à son travail, il/elle a ouvert son propre restaurant qui est devenu l'un des meilleurs de la ville.

Vous rédigez un article sur votre ami(e) pour présenter son parcours professionnel. Vous pensez encourager ainsi les jeunes de la ville dans leur choix de profession, leur montrer qu'avec du travail il est possible de réussir.
Trouvez un titre « accrocheur » à votre article !
Votre texte comportera 160 à 180 mots.

///

ACTIVITÉ 7

De retour d'un voyage à Boulogne-sur-Mer avec le comité de jumelage, vous écrivez un article pour le journal local sur « Le Centre Pompidou Mobile » (voir activité 6 page 18). Vous avez vu la première exposition de ce musée nomade.

Votre texte comportera 160 à 180 mots. //
Choisissez un titre court et percutant. Rédigez des sous-titres. Ils doivent permettre de souligner les points forts de votre article.

ACTIVITÉ 8

De passage à Vichy, vous avez garé votre voiture dans le parking du centre de la ville. À votre grande surprise, vous y avez découvert une sorte d'histoire illustrée de l'écriture ! Sur les grandes parois de séparation du parking, au deuxième et au premier sous-sol, une artiste peintre, Valérie Brunel, a représenté des exemples des principales écritures du monde – latine, grecque, arabe, perse, chinoise – mais aussi de certaines écritures moins connues – Mende, Kabyle, Goujarati... – ou encore d'autres à l'utilité certaine telles le morse, la sténographie ou le braille.

Vous rédigez un article sur ce parking, destiné au journal local de votre ville, ////////////////////////
afin d'inciter la municipalité à en faire autant, à trouver des idées originales pour les parkings de la ville.
Trouvez un titre original à votre article !
Votre texte comportera 160 à 180 mots.

ACTIVITÉ 9

Il y avait la génération 68 puis la bof génération à la fin des années 70 et voici la génération « Y » élevée avec les nouvelles technologies, toujours connectée.
Vous avez interviewé un sociologue sur cette nouvelle génération en train de bousculer la société. Vous avez noté quelques points qui vous semblaient importants.

Rédigez un article pour un magazine à partir de vos notes (entre 160 et 180 mots). //////////////////////
Choisissez un titre court et percutant. Rédigez des sous-titres. Ils doivent permettre de souligner les points forts de votre article.

- La génération « Y » en raison des écouteurs vissés aux oreilles.
- Ils ont entre 18 et 30 ans.
- Ils sont 13 000 000 en France.
- Ils ont grandi avec Internet.
- Toujours connectés. Casques, smartphones, tablettes.
- Refus de l'autorité. Rebelles. Envie de liberté.
- Hyper volubiles.
- Veulent tout faire en même temps. Difficile à « manager ».
- Initient leurs aînés.
- Cultivent humour et dérision.
- Musique et travail. Meilleure concentration.
- La pause-déjeuner est sacrée.
- Bureau synonyme de convivialité.
- Combattants sans illusions.

ACTIVITÉ 10

Pour des raisons professionnelles, vous êtes obligé(e) de prendre souvent le train et l'avion.
Si le voyage en lui-même se déroule dans de bonnes conditions, vous êtes irrité par la répétition
des mêmes menus (quatre fois le même en huit jours !) et surtout par leur qualité médiocre. Que ce soit
en train ou en avion, les noms des plats, loin de la réalité servie, ne vous amusent plus beaucoup...
Vous préféreriez voir le « risotto aux trésors de bois » (riz collant et insipide avec quelques rares
champignons) ou encore « Les délices du berger sur mesclun » (morceaux de fromages un peu trop
secs sur quelques feuilles de laitue « fatiguée ») remplacés, pourquoi pas, par un bon « Paris-beurre »,
le traditionnel sandwich au jambon...

Vous décidez, pour dénoncer cette situation, d'écrire un article humoristique
pour une revue gastronomique qui ouvre ses colonnes à ses lecteurs.
Donnez un titre « appétissant » à votre article !
Votre texte comportera 160 à 180 mots.

ACTIVITÉ 11

Vous avez vu le film « Cloclo » qui retrace la vie du très populaire chanteur Claude François, décédé
en 1978 à l'âge de 39 ans.

Rédigez un article sur le thème « Qu'est-ce qu'une idole ? Que véhicule-t-elle ?
Quel message veut-elle faire passer auprès de ses fans ? »
Votre texte comportera 160 à 180 mots. Choisissez un titre court et percutant. Rédigez
des sous-titres. Ils doivent permettre de souligner les points forts de votre article.

ACTIVITÉ 12

« Je vous parle d'un temps que les moins de 20 ans ne peuvent pas connaître... »,
chantait Charles Aznavour[1].

À partir des éléments ci-dessous, rédigez un bref article (entre 160 et 180 mots)
sur le thème « Pourquoi écrire sa biographie ou ses mémoires ? »
Choisissez un titre court et percutant. Rédigez des sous-titres. Ils doivent permettre de
souligner les points forts
de votre article.

- Écrire pour transmettre.
- Écrire pour se faire pardonner.
- Écrire pour guérir.

1. Charles Aznavour : chanteur né en 1924, célèbre pour ses chansons romantiques devenues des classiques
de la chanson française, voire internationale.

V Essai

ACTIVITÉ 1 : Les choix d'un discours argumentatif

L'essai est un des genres du discours argumentatif. Plus ou moins long, le texte, généralement rédigé de façon rigoureuse, présente l'opinion de son auteur sur un sujet donné. Pour exprimer son point de vue, celui-ci peut le faire discrètement ou de façon directe en recourant au « je ».

Selon le sujet, l'auteur va en général choisir :
soit d'adhérer à la thèse présentée ; soit de confronter le « pour » et le « contre » du sujet ;
soit de la contester ; soit enfin d'accepter un ou certains aspects contraire(s) à son point de vue.

Afin de préciser chacune de ces démarches, associez-les à la description qui leur correspond :

Démarches	Descriptions
1. Adhérez à la thèse	**a.** Montrer ce qui rapproche ou qui oppose les deux argumentations afin de donner son point de vue.
2. Contester la thèse	**b.** Faire une concession pour montrer qu'on partage partiellement la thèse présentée ou pour préparer une objection.
3. Confronter le « pour » et le « contre »	**c.** Prouver par des arguments que la thèse est justifiée.
4. Accepter un/des aspect(s)	**d.** Contester les arguments donnés et en avancer d'autres sur lesquels baser son point de vue.

1. : .... – **2.** : .... – **3.** : .... – **4.** : ....

ACTIVITÉ 2 : Les mots de l'argumentation

Observez les mots ci-après. Cochez les cases correspondant à leur emploi.

Mots et expressions	Exprimer son opinion	Adhérer à la thèse	Contester la thèse	Confronter le pour et le contre	Accepter un aspect de la thèse
D'une part... de l'autre					
Je partage cette idée qui...					
Il est vrai que...					
J'admets que... cela dit...					
À mon avis...					
Il est possible en effet...					
Il est inconcevable de...					
Je dois admettre que...					
Je suis favorable à ce...					
Au crédit de... toutefois...					
Comment accorder foi à...					
J'estime que...					
Il est indéniable que...					
Je n'apprécie pas que...					
Mon sentiment, c'est que...					

ACTIVITÉ 3

Premier écrivain d'origine asiatique à siéger à l'Académie Française, François Cheng, né en Chine en 1929, a fait le choix d'abandonner sa langue maternelle au profit du français. Lors d'une interview, on lui a demandé de décrire les principales difficultés auxquelles il a été confronté pour apprendre le français.

> Elles ont été innombrables ! L'orthographe et la grammaire furent des étapes très fastidieuses. Mais, rétrospectivement, je constate que toutes ces difficultés ont été pour moi un ravissement. Ce sont elles qui constituent la singularité de la langue française. Ses richesses sont innombrables. Je m'amuse d'ailleurs souvent à les repérer et les relever. Je lis toujours avec un stylo rouge à la main et souligne toutes les expressions heureuses que je rencontre. À la lecture de ces trouvailles, je souris et palis souvent de jalousie... Mon émerveillement est incessant. »
>
> *Le Point Jeux*, octobre-décembre 2010.

À votre tour, répondez à la question : « À quelles difficultés avez-vous été confronté(e) dans votre apprentissage du français ? »
Rédigez un texte construit et cohérent (entre 160 et 180 mots).
Développez votre point de vue et illustrez-le de quelques exemples.

ACTIVITÉ 4

Sur le principe du « speed-dating », ou « rendez-vous rapide », qui consiste à essayer de trouver son « âme-sœur » lors de 7 entretiens d'une durée de 7 minutes en moyenne, il existe désormais le « job dating » qui permet à un chercheur d'emploi de rencontrer le maximum de recruteurs en un minimum de temps. De plus en plus de villes du sud-est de la France recourent à ce procédé pour l'embauche de leurs travailleurs saisonniers.

Que pensez-vous du principe lui-même de ce procédé ? Trouvez-vous judicieuse son adaptation à la recherche d'emploi ? Pourrait-il, selon vous, s'appliquer à d'autres recherches ? Rédigez un essai de 160 à 180 mots.

ACTIVITÉ 5

1. Lisez le texte ci-dessous.

> Depuis quand n'avez-vous pas reçu de lettre ? Une semaine ? Un mois ? Un an ? Je ne parle évidemment pas des désagréables factures, ni des prospectus publicitaires, ni des demandes de dons, qui font l'ordinaire de notre courrier. Je parle simplement des bonnes vieilles lettres « à l'ancienne », comme on le dit des tartes aux pommes ou des blanquettes de veau ! Force est de constater que, malmenées par le développement fulgurant des courriels et autres SMS, elles tendent à se raréfier dangereusement... Les formes modernes de communication écrite ont certes des atouts : la rapidité, la simplicité, l'efficacité. Mais, pour rester « digestes », les messages se doivent de ne pas être trop longs. De plus, quelle que soit la chaleur des mots employés, ces messages électroniques restent curieusement toujours assez froids, comme désincarnés... Rien de tel avec une lettre écrite à la main, en bon français, sur une ou plusieurs feuilles d'un beau papier. Son auteur a pris du temps pour la rédiger ; parfois, il a été contraint de s'interrompre quelques heures ou quelques jours avant de pouvoir la terminer. Par respect pour lui, vous allez à votre tour vous asseoir et prendre le temps de la lire attentivement. Peut-être même la relirez-vous plusieurs fois. [...]
>
> *La Croix,* 12 juillet 2011.

//

2. Écrivez-vous parfois des lettres ? À qui ? Pour quelles occasions ? ////////////////
Aimez-vous recevoir des lettres ? Ou trouvez-vous que ce n'est plus d'actualité
et que cela fait perdre trop de temps ? Que pensez-vous du papier à lettres ?
Votre texte comportera 160 à 180 mots.

ACTIVITÉ 6

Journée internationale des femmes (le 8 mars), journée internationale des droits de l'enfant
(le 20 novembre), ou encore journée internationale de la paix (le 21 septembre), veille de la journée
internationale sans voitures (le 22 septembre), mais aussi, le même jour, le 10 octobre, journée
internationale contre la peine de mort… et de la santé mentale !… sans parler de celles des musées,
de la danse ou du tricot…

Que pensez-vous de cette « explosion » de journées internationales ////////////////////////////
(246 répertoriées en avril 2012 !) ? Pour défendre une cause, une journée est-elle
suffisante ? Sa défense ne devrait-elle pas faire l'objet d'une préoccupation constante ?
Rédigez un essai de 160 à 180 mots.

ACTIVITÉ 7

> « Je suis issu d'un milieu modeste mais, à la maison, nous mangions toujours bien. Mes souvenirs d'enfance sont empreints de gourmandise. Ma mère préparait de bons plats avec des produits simples. Et, chez ma grand-mère, on n'avait pas besoin de m'appeler pour passer à table, j'arrivais à l'heure, attiré par le fumet. Je me souviens qu'elle passait des journées entières à faire des confitures. Un pur moment d'exaltation pour mon nez ! »
>
> *La Vie*, 12 janvier 2012.

Ainsi s'exprime Jean-Pierre Vigato, chef étoilé d'un restaurant parisien.
Chacun a sa petite « madeleine »[1], une odeur, une saveur qui fait resurgir un souvenir ancien.

Gardez-vous aussi des souvenirs liés à l'odeur, au goût, à la vue de choses ////////////////////
qui provoquent en vous de fortes émotions ? Rédigez un texte entre 160 et 180 mots.

1. En référence à la petite madeleine de Proust (1871-1922). Dans *Du côté de chez Swann*, le premier des 7 volumes
de son roman *À la recherche du temps perdu*, Proust décrit ce qu'il a ressenti en mangeant une petite madeleine.
Tout commence par un jour d'hiver où sa mère, voyant qu'il avait froid, lui propose une infusion. Elle envoie chercher
« un de ces petits gâteaux courts et dodus appelés petites madeleines qui semblent avoir été moulés dans la valve rainurée
d'une coquille de Saint-Jacques »… « Je portai à mes lèvres une cuillerée de thé où j'avais laissé s'amollir un morceau
de madeleine… un plaisir délicieux m'envahit… »

ACTIVITÉ 8

Tous les ans au printemps, les magazines féminins en particulier, mais aussi les autres médias
tels que la radio ou la télévision consacrent de nombreuses pages ou émissions aux régimes
amincissants : il faut absolument perdre les kilos pris pendant l'hiver afin de pouvoir « rentrer »
dans le pantalon, l'ensemble ou le maillot à la mode… au prix, parfois, de conséquences désastreuses
pour la santé.

Que pensez-vous de cette « dictature » de la minceur et de la mode qui s'y associe ? ////////////
Rédigez un essai de 160 à 180 mots.

///

ACTIVITÉ 9

Faire le ménage est en général associé à une corvée un peu honteuse.
Pourtant, la journaliste Anne de Chalvron qui s'est penchée sur le sujet dans son livre *Les plaisirs secrets du ménage,* revient sur la tendance actuelle à valoriser la vie domestique. Et toujours d'après elle, passer l'aspirateur ou faire la vaisselle serait une source de bien-être physique et moral. Une étude britannique affirme d'ailleurs que 20 minutes de ménage par semaine, tout comme 20 minutes de sport, aideraient à lutter contre la dépression.

À votre avis, quelles pourraient en être les raisons ?
Rédigez un texte construit et cohérent entre 160 et 180 mots.
Développez votre point de vue et illustrez-le de quelques exemples.

ACTIVITÉ 10

Partagez-vous les mêmes choix de vie et idées politiques avec vos amis ?
Pensez-vous qu'il est indispensable d'avoir les mêmes modes de vie, les mêmes convictions pour être ami(e)s ? Rédigez un essai de 160 à 180 mots.

ACTIVITÉ 11

« L'intégration des étrangers » est devenu un sujet de préoccupation aussi bien pour les politiques que pour les médias. Pour vous qui habitez l'étranger, s'intégrer dans un autre pays n'est pas aussi simple qu'il y paraît. Que signifie « Être intégré » ? Doit-on abandonner sa langue maternelle ? Sa culture ? Ses coutumes ? Peut-on vraiment vivre dans deux cultures différentes ?

Rédigez un texte construit et cohérent entre 160 et 180 mots à partir de ces questions.
Développez votre point de vue et illustrez-le de quelques exemples.

ACTIVITÉ 12

Un blogueur écrivait récemment que le tatouage était la « *preuve indélébile d'une folie passagère* ».
Claude Lévi-Strauss (anthropologue et ethnologue, 1908-2009), pour sa part, explique en quoi le tatouage, à ses origines, se justifiait : « *Il fallait être peint pour être homme : celui qui restait à l'état de nature ne se distinguait pas de la brute* ».

Quel est votre avis à propos du tatouage ? Partagez-vous une des deux positions ci-dessus ou en avez-vous une autre ? Rédigez un essai de 160 à 180 mots.

ACTIVITÉ 13

Lorsque vous étiez plus jeune, pendant vos vacances d'été, vous grimpiez des cols à bicyclette. Pendant des années, vous avez noté vos « exploits » sur un petit calepin en n'oubliant pas de mentionner les parcours, les distances, les dénivelés, votre vitesse, le temps qu'il faisait, vos pulsations cardiaques, etc. Plusieurs années ont passé, vous avez repris ces notes et rédigez un livre.
Dans quel but ? Pour qui ? Qu'est-ce que cela vous a apporté ?

Rédigez un texte construit et cohérent entre 160 et 180 mots à partir de ces questions.
Développez votre point de vue et illustrez-le de quelques exemples.

Épreuves TYPES

Compréhension de l'oral ///////////// ///

ACTIVITÉ 1

À quelle année correspond chacun de ces films cultes ? Cochez la case qui convient. /////

Titres des films	1950	1960	1970	1980	1990	2000	2010
« Les bronzés »							
« Camping »							
« Monsieur Hulot »							
« Saint-Jacques-La Mecque »							
« À nous les petites Anglaises ! »							
« Les petits mouchoirs »							
« Randonneurs »							
« Les grandes vacances »							

ACTIVITÉ 2

Cochez la bonne réponse. //

1 • Édith Piaf a révélé Charles Aznavour.
   Vrai ❑   Faux ❑   On ne sait pas ❑

2 • Charles Aznavour a eu 87 ans en janvier 2011.
   Vrai ❑   Faux ❑   On ne sait pas ❑

3 • Le nouvel album de Charles Aznavour mêle anciennes et nouvelles chansons.
   Vrai ❑   Faux ❑   On ne sait pas ❑

4 • Thomas Dutronc avec qui chante Charles Aznavour a 37 ans.
   Vrai ❑   Faux ❑   On ne sait pas ❑

5 • À partir du mois d'octobre, Charles Aznavour a commencé une grande tournée en France.
   Vrai ❑   Faux ❑   On ne sait pas ❑

6 • Charles Aznavour pense prendre sa retraite après sa tournée.
   Vrai ❑   Faux ❑   On ne sait pas ❑

ACTIVITÉ 3

Répondez aux questions avec les mots et les chiffres du document sonore. //////////////////////

1 • Qu'est-ce que François et son grand-père vont planter ? ....

2 • Combien mesure l'arbre planté par le grand-père quand il était enfant ? ....

3 • Comment s'appelle cet arbre ? ....

4 • À quoi correspondait ce nom ? ....

5 • Qu'est-ce qu'il y avait dans le journal que lisait le grand-père ? ....

6 • Combien de pousses les enfants ont-ils plantées à l'époque ? ....

7 • Combien de sapins le grand-père a-t-il retrouvés ? ....

8 • Où les a-t-il trouvés ?

   En ...., au .... et en ....

ACTIVITÉ 1   *12 points*

Un samedi soir, des amis allemands téléphonent à Madame Sanchez pour lui dire qu'ils seront de passage dans sa région le lundi. Elle les invite à venir dîner chez elle. Elle sait qu'ils adorent le cassoulet. Après avoir vérifié le contenu de ses placards, de son réfrigérateur et de son congélateur, elle décide de leur en préparer un. Comme Madame Sanchez travaille le lundi, le plat devra être prêt le dimanche soir pour être réchauffé le lundi soir. Ils seront quatre à table.

Madame Sanchez a les produits suivants :

Des carottes, des oignons, des tomates, de l'ail, du thym, du laurier, des épices (clous de girofle, cannelle...), de la chapelure de pain, 1 kg 500 de haricots blancs, une boîte de quatre cuisses de canard, six saucisses de Toulouse (achetées le matin-même pour une purée-saucisses), deux jarrets de porc demi-sel congelés. Madame Sanchez a trois recettes de cassoulet ; elles sont pour six à huit personnes. Madame Sanchez réduira les proportions.

a. Pour chacune des trois recettes ci-après, et pour chaque élément, ////////////////////////////////////
cochez ce qui convient (C) et ce qui ne convient pas (NCP) à la situation.

Cassoulet au confit de canard Pour 6 à 8 personnes	C	NCP	Cassoulet de Mamie Mélanie Pour 6 à 8 personnes	C	NCP	Cassoulet à ma façon Pour 8 personnes	C	NCP
1 kg de haricots blancs			1 kg de haricots blancs			750 g de haricots blancs		
1 jarret de porc demi sel			1 jarret de porc coupé en morceaux			16 tranches de saucisson à l'ail		
6 à 8 saucisses de Toulouse			400 g de saucisses de porc			8 saucisses de Toulouse		
6 à 8 cuisses de canard confites			3 cuisses de canard confites			4 cuisses de canard confites		
			400 g de collier d'agneau			4 tranches de poitrine fumée		
			300 g de couenne			4 tranches de poitrine fraîche		
			1 pied de porc			70 g de concentré de tomate		
			100 g de lard salé			chapelure		
1 carotte, 1 oignon			1 oignon rose					
ail			6 gousses d'ail			ail		
clou de girofle, thym, laurier			muscade râpée, sel, poivre			thym, laurier, sel et poivre		
Faire gonfler les haricots la veille de la préparation.			*Faire gonfler les haricots la veille de la préparation.*			*Faire gonfler les haricots la veille de la préparation.*		
Servir réchauffé si possible.			*Servir le jour même.*			*C'est meilleur réchauffé.*		

b. Quelle recette va réaliser Madame Sanchez ? ....

Le Brésil veut faire un Mondial de foot très écologique en 2014

Des panneaux solaires sur le toit d'un stade, des sièges recyclés et de l'eau de pluie récupérée pour arroser la pelouse du terrain de foot, le Brésil espère faire en 2014 la Coupe du monde de football « la plus écolo» de l'Histoire.

Douze stades sont en construction ou en cours de rénovation dans le pays et les ingénieurs veulent aller au-delà des exigences de la Fédération internationale du football (Fifa) et réduire par exemple les émissions de gaz à effet de serre pendant les travaux. La Fifa recommande que tous les stades respectent l'environnement en réutilisant notamment l'eau de pluie et en se servant d'équipements qui consomment moins d'électricité et limitent la production d'ordures. *« On n'accepte plus de travaux qui ne tiennent pas compte du respect de l'environnement »*, explique à l'AFP José Roberto Bernasconi, président du syndicat d'architecture et d'ingénieurie de Sao Paulo (Sinaenco-SP). En novembre, la Fifa a rappelé à l'ordre le Brésil sur les retards dans l'organisation du Mondial mais début décembre, le ministre des Sports Aldo Rebelo a assuré que les douze stades qui abriteront les matchs de la Coupe du monde seraient «prêts avant les délais prévus».

Certification internationale

Et si toutes les villes hôtes font des efforts dans ce sens, Belo Horizonte, la capitale du Minas Gerais (sud-est), veut que son stade du Mineirao soit le premier au Brésil à recevoir la certification internationale LEED (Leadership in energy and Environmental Design), une norme américaine désignant les bâtiments à haute qualité environnementale. Le projet de modernisation de ce stade construit en 1965 et qui sera de nouveau inauguré fin 2012 prévoit notamment de réduire les gaz à effet de serre pendant les travaux par l'embauche de fournisseurs locaux afin de limiter le transport. Il prévoit aussi de recueillir jusqu'à six millions de litres d'eau de pluie pour l'arrosage de la pelouse. La totalité du béton retiré du stade original a été réutilisée dans la rénovation, les 800 000 m³ de terre extraite ont été destinés à la récupération de zones dégradées par l'exploitation de mines de pierres précieuses et les 50 000 anciens fauteuils du stade donnés à des gymnases et complexes sportifs. *« Tout a été réutilisé »*, se félicite Vinicius Lott, en charge du projet *« Mondial durable »* du gouvernement du Minas Gerais.

Usine solaire

Mais le projet phare du Mineirao est la production d'énergie propre avec l'installation d'une usine solaire sur son toit qui approvisionnera quelque mille cinq cents domiciles. *« Il a un grand toit qui ne sert à rien et qui reçoit une grande radiation solaire. Alors, nous avons décidé d'installer des panneaux photovoltaïques, couvrir et faire une usine solaire »*, détaille l'ingénieur Alexandre Heringer. Les 6 000 panneaux solaires auront une puissance de 1,5 mégawatt (MW) par heure – très inférieure aux milliers de mégawatts produits par une centrale hydroélectrique – mais le coût est bien moindre aussi. L'usine solaire coûtera 12 millions de reais (5 millions d'euros), un investissement qui sera récupéré pendant les 25 ans de vie utile des panneaux et le coût opérationnel de l'usine est également *« très bon marché »*, explique encore l'ingénieur. Après le toit du Mineirao, les ingénieurs espèrent mettre à profit celui de l'aéroport international de Belo Horizonte en 2014. Sixième ville du géant sud-américain avec 2,5 millions d'habitants, Belo Horizonte recevra six matchs du Mondial en 2014 et trois de la Coupe des confédérations en 2013.

http://actu.orange.fr

Répondez aux questions.

1 • **Le thème général de ce document est:**   **1 point**
   a. ☐ l'aménagement des stades pour la Coupe du Monde
   b. ☐ les décisions du Brésil pour une Coupe du Monde « écologique »
   c. ☐ les exigences de la Fifa pour l'organisation de la Coupe du Monde

2 • **La Fifa craignait le non respect :**   1 point
    a. ☐ des exigences écologiques
    b. ☐ des délais d'organisation
    c. ☐ des consignes de sécurité

3 • **Vrai, faux, on ne sait pas. Cochez la case correspondante et justifiez votre réponse**   2 points
   avec une phrase du texte.
   Le Brésil veut se limiter à respecter certaines exigences de la Fifa.
   Vrai ☐   Faux ☐   On ne sait pas ☐
   Justification : ....
   ....

4 • **Pour obtenir la certification LEED pour son stade, sur quoi, en plus des exigences**   4 points
   de la Fifa, la ville de Belo Horizonte a-t-elle porté ses efforts ?
   ....
   ....

5 • **Vrai, faux, on ne sait pas. Cochez la case correspondante et justifiez votre réponse**   2 points
   avec une phrase du texte.
   Les panneaux solaires placés sur le toit du Mineirao fourniront seulement l'énergie
   nécessaire au stade.
   Vrai ☐   Faux ☐   On ne sait pas ☐
   Justification : ....
   ....

6 • **En quoi cette « usine solaire » est-elle intéressante ? Justifiez votre réponse**   3 points
   à l'aide d'une phrase du texte.
   ....
   ....

Production orale

I Entretien dirigé

ACTIVITÉ 1

Après avoir parlé de vous, de vos activités, de vos centres d'intérêt, de votre passé, de vos projets, l'examinateur pourra par exemple vous poser la question suivante :

Pratiquez-vous un ou plusieurs sports ? Lequel ? Lesquels ? Dans quelles conditions ?

II Exercice en interaction

ACTIVITÉ 2

Vous avez réservé une chambre avec terrasse et vue sur la plage dans un hôtel de bord de mer.
Quand vous entrez dans votre chambre, vous découvrez qu'elle ne possède pas de terrasse et qu'elle donne sur l'arrière de l'hôtel.

Vous allez vous plaindre à la réception.

Vous dégagerez le thème soulevé par le document ci-dessous et vous présenterez votre opinion sous la forme d'un petit exposé de 3 minutes environ. L'examinateur pourra vous poser quelques questions.

L'efficacité des médicaments génériques à nouveau en débat

Un rapport de l'Académie de médecine émet des critiques sur les génériques, sans faire l'unanimité. En 2011, les ventes de génériques ont enregistré pour la première fois un léger recul en France.

QUE DIT LE RAPPORT DE L'ACADÉMIE ?

Ce rapport de sept pages, rédigé par le professeur Charles-Joël Menkès, ancien chef du service de rhumatologie de l'hôpital Cochin à Paris, reprend les arguments développés ces dernières années par certains médecins contre les génériques, ces copies de médicaments de marque, appelés princeps.

Le rapport souligne qu'un générique n'est pas une *«copie conforme»* du princeps. S'il doit contenir le même principe actif, il peut avoir une présentation différente (par exemple gélules au lieu de comprimés). L'excipient, qui donne sa consistance au produit final, peut varier. *« Le changement d'excipient peut occasionner des réactions allergiques plus ou moins sévères, notamment avec les formes orales des antibiotiques à usage pédiatrique »*, souligne le rapport, en ajoutant que les *« malades âgés en traitement chronique peuvent être désorientés par les changements d'aspect et de dosage de leurs médicaments habituels »*.

http://www.la-croix.com, 27 février 2012.

Production écrite

Dans le but de réduire ou éliminer toute ségrégation sociale, Sciences Po, une des Grandes Écoles françaises, vient de décider de supprimer l'épreuve de culture générale dans son concours d'entrée. Cette suppression fait débat parmi les autres Grandes Écoles qui proposent une épreuve sur programme afin qu'une préparation soit possible pour tous les candidats.

Pensez-vous que la culture générale fasse partie intégrante de toute formation ? Peut-on être un bon médecin, ingénieur ou administrateur sans avoir de « bagage culturel » ? Rédigez un essai de 160 à 180 mots.

Petits PLUS

Grammaire ///

En grammaire, en fonction de ce que préconise le « Référentiel pour le Cadre européen commun »
(Alliance Française, CLE International), pour réussir sans (trop) de difficultés les épreuves de l'unité B1
du DELF, il est nécessaire :

- **de maîtriser,** en compréhension et en expression orales et écrites :
    – le passé composé (voir page 161),
    – l'imparfait (voir page 161),
    – le subjonctif (pour exprimer une obligation, une possibilité, ou après la conjonction
      « pour que ») (voir page 162) ,
    – le discours rapporté au présent et au passé (voir page 163) ,
    – le passif (voir page 164) ,
    – le gérondif (voir page 165),
    – les articulations logiques simples (voir page 165) ;

- **de comprendre et savoir utiliser sans trop d'erreurs** à l'oral et à l'écrit :
    – le plus-que-parfait (voir page 162),
    – l'accord du participe passé avec « être » et « avoir » (voir page 161) ,
    – la concordance des temps (voir page 166),
    – les doubles pronoms (voir page 167) ,
    – la localisation temporelle (prépositions et adverbes de temps) (voir page 168),
    – la localisation spatiale (prépositions et adverbes de lieu) (voir page 168) ,
    – les articulateurs chronologiques du discours (voir page 168),
    – quelques verbes de sentiment ou d'opinion suivis du subjonctif (voir subjonctif) ;

- **de reconnaître à l'écrit et de pouvoir utiliser** à l'oral et à l'écrit :
    – le conditionnel (expression du souhait et du regret) (voir page 163),
    – les adverbes de manière en « -ment » (voir page 170),
    – les pronoms relatifs *qui, que, dont, où* (voir page 169),
    – l'expression de l'hypothèse (certaine, incertaine, non réalisée) (voir page 169) ;

- **de pouvoir identifier et éventuellement utiliser** à l'oral et / ou à l'écrit :
    – les pronoms possessifs (voir page 170),
    – les pronoms démonstratifs (voir page 170),
    – la comparaison (voir page 171),
    – la restriction « ne… que » (voir page 171),
    – les indéfinis (pronoms et adjectifs) (voir page 171),
    – la négation « sans + infinitif » (voir page 171).

En cas de doute ou d'oubli, consultez les pages indiquées entre parenthèses pour chacun de ces points.

Un verbe est déterminé par son sens et par sa forme. La forme d'un verbe dépend :
– de la personne qui fait l'action ou subit l'état (que le verbe exprime) ;
– du temps, c'est-à-dire du moment où se situe cette action ou cet état ;
– du mode qui indique l'attitude du locuteur par rapport à ce qu'il dit.

1. Temps du passé de l'indicatif

1.1 LE PASSÉ COMPOSÉ

a. Formation

– Il se forme à l'aide du présent du verbe « être » ou du verbe « avoir » et du participe passé du verbe.

– Pour les verbes réfléchis ou pronominaux (se...) et les verbes qui en eux-mêmes traduisent, expriment une direction physique (aller, venir...) ou abstraite (naître, mourir) et leurs composés (devenir, repartir...) et qui n'ont pas de complément d'objet direct, le passé composé se forme avec le verbe « être ».

– Pour tous les autres verbes, le passé composé se forme avec le verbe « avoir ».

– Pour la majorité des verbes qui se terminent :
   • en « -er » à l'infinitif, le participe passé se termine en « -é » ;
   • en « -ir » à l'infinitif, le participe passé se termine en « -i » ;
   • en « -re » ou « -oir(e) » à l'infinitif, le participe passé se termine en « -u ».

Les principaux participes passés irréguliers sont :

Infinitif	Participe passé	Infinitif	Participe passé	Infinitif	Participe passé	Infinitif	Participe passé
Être	été	Devoir	dû	Avoir	eu	Dire	dit
Faire	fait	Lire	lu	Savoir	su	Mettre	mis
Venir	venu	Prendre	pris	Pouvoir	pu	-indre (peindre)	-int (peint)
Écrire	écrit	Naître	né	Ouvrir	ouvert	Mourir	mort

b. Emploi

Le passé composé est utilisé pour parler d'une action ou d'un état qui appartient au passé et non de la durée de cette action ou de cet état.

Exemples : *Mon mari et moi nous **sommes partis** en vacances à la montagne. Nous y **sommes restés** deux semaines. Nous nous **sommes reposés** mais nous **avons** aussi **passé** de belles journées à visiter la région. Nous **avons eu** beaucoup de chance : il **a fait** un temps splendide !*

c. Accord du participe passé

– Lorsque le passé composé est formé **avec le verbe « être »**, le participe passé s'accorde en genre et en nombre avec le sujet du verbe.
Exemples : *Annie est all**ée** à Paris. Les petites filles se sont promen**ées** dans le parc.*

– Lorsque le passé composé est formé **avec le verbe « avoir »**, le participe passé s'accorde en genre et en nombre avec le complément d'objet direct du verbe, quand il est placé avant le verbe.
Exemples : *Martine a visit**é** la nouvelle exposition du Musée d'Orsay. Elle a beaucoup aim**é** les œuvres qu'elle a v**ues**.*

1.2 L'IMPARFAIT

a. Formation

Il se forme à partir de la personne « nous », au présent de l'indicatif. On remplace la terminaison « ons » par les terminaisons :
– « ais » pour « je » et « tu » (*je parlais*)   – « ions » pour « nous » (*nous chantions*)
– « ait » pour « il », « elle », « on » (*il écoutait*)   – « iez » pour « vous » (*vous disiez*)
– « aient » pour « ils », « elles » (*elles venaient*)

Attention : *nous chang**e**ons > nous chang**i**ons, vous chang**i**ez*
        *Nous commen**ç**ons > nous commen**c**ions, vous commen**c**iez*

b. Emploi

L'imparfait peut :
– avoir une fonction de présent dans le passé ;
– représenter une action ou un état passé, ponctuel ou durable.
> **Exemple :** *Je ne sortais pas quand il pleuvait.*

– représenter, décrire des actions ou des états passés : leur déroulement, leur succession, leur répétition, l'habitude avec laquelle cette action ou cet état se réalise.
> **Exemple :** *Nous **allions** au cinéma le dimanche après-midi.*

– être utilisé après *dire que, penser que, croire que* ou une locution semblable.
> **Exemple :** *Je crois (il me semble) que Pierre **était** malade.*

– présenter une action ou un état situé dans le présent et exprimer :
> • la politesse. **Exemple :** *Je **voulais** te demander un service.*
> • une hypothèse. **Exemple :** *Si j'**étais** musicienne, je serais harpiste.*

– présenter une action ou un état situé dans le futur et exprimer une hypothèse ou un souhait.
> **Exemple :** *Si je **pouvais** partir en vacances, j'irais en Italie.*

1.3 LE PLUS-QUE-PARFAIT

a. Formation

Le plus-que-parfait se forme, comme le passé composé, à l'aide du verbe « être » ou « avoir » et du participe passé du verbe. Dans le cas du plus-que-parfait, les verbe « être » et « avoir sont à l'imparfait.

b. Emploi

Le plus-que-parfait sert à situer dans le passé une action ou un état réalisé, terminé.
Le plus-que-parfait, utilisé avec un verbe à l'imparfait ou au passé composé, indique un rapport d'antériorité.
> **Exemple :**
> *Il dînait et allait ensuite au cinéma. > Il **avait dîné** quand il allait au cinéma.*

2. Le subjonctif

a. Formation

À l'exception des verbes irréguliers, le subjonctif se forme à partir de la personne « ils / elles » du présent de l'indicatif. On remplace la terminaison « **-ent** » par les terminaisons :
« **-e** » pour « je », « il », « elle », « on » ; « **-es** » pour « tu » ; « **-ions** » pour « nous » ; « **-iez** » pour « vous »
La forme de « ils / elles » est la même au présent du subjonctif et au présent de l'indicatif.
Les principaux subjonctifs irréguliers sont :

Infinitif	Subjonctif (que...)
Être	*je/tu sois, il/elle soit, ils/elles soient, nous soyons, vous soyez*
Avoir	*j'aie, tu aies, il/elle ait, ils/elles aient, nous ayons, vous ayez*
Aller	*je/il/elle aille, tu ailles, ils/elles aillent, nous allions, vous alliez*
Faire	*je/il/elle fasse, tu fasses, ils/elles fassent, nous fassions, vous fassiez*
Pouvoir	*je/il/elle puisse, tu puisses, ils/elles puissent, nous puissions, vous puissiez*
Savoir	*je/il/elle sache, tu saches, ils/elles sachent, nous sachions, vous sachiez*
Vouloir	*je/il/elle veuille, tu veuilles, ils/elles veuillent, nous voulions, vous vouliez*

b. Emploi

Alors que le locuteur, le narrateur utilise l'indicatif pour situer une action ou un état dans le présent, le passé ou le futur, il utilise le subjonctif pour présenter son point de vue, son interprétation de l'action ou de l'état.
Le subjonctif est introduit par la conjonction « que ».

1 ● **Il est utilisé après un verbe ou une expression qui traduit pour le locuteur, le narrateur :**
– la possibilité, l'éventualité. **Exemple :** *Il est possible qu'elle **vienne** nous voir.*
– l'obligation, la nécessité. **Exemple :** *Il faut (il est nécessaire) que tu **partes**.*
– une opinion incertaine. **Exemple :** *Je ne crois pas (ne pense pas) qu'elle **réussisse**.*

2 ● **Il est utilisé après un verbe ou une expression qui traduit pour le locuteur, le narrateur un sentiment :**
C'est le cas par exemple : *des verbes : aimer que, adorer que, détester que, préférer que, être heureux que,*
des expressions impersonnelles : il est heureux que, il est triste que, il est préférable que...
Exemple : <u>*Je suis heureux*</u> *que vous* **puissiez** *venir dimanche.* <u>*J'aimerais*</u> *que vous* **arriviez** *assez tôt !*

3. Le conditionnel

a. Formation

Le conditionnel présent :
À l'exception des verbes irréguliers, le conditionnel présent se forme à l'aide de l'infinitif du verbe
et des terminaisons du verbe « avoir » à l'imparfait de l'indicatif :
    – « -ais » pour « je » et « tu »   – « -ait » pour il/elle/on   – « -aient » pour ils/elles
    – « -ions » pour « nous »   – « -iez » pour « vous »

Le conditionnel passé :
Le conditionnel passé se forme, comme le passé composé, à l'aide du verbe « être » ou « avoir » et du participe
passé du verbe.
Dans le cas du conditionnel passé, les verbes « être » et « avoir » sont au conditionnel présent.

b. Emploi

Le conditionnel présent s'emploie :
    – pour exprimer poliment une demande. **Exemple :** *Je* **voudrais** *un verre d'eau.*
    – pour exprimer une éventualité, un désir, un doute, un fait dont on n'est pas sûr.
    Exemple : *Tu* **pourrais** *venir dimanche ? Ton amie serait malade ?*
Le conditionnel présent et le conditionnel passé s'emploient :
    – pour la concordance des temps (voir page 166) ;
    – dans les phrases exprimant une hypothèse (voir page 169).

///////////////   **II** **Le discours rapporté** ///

Le discours rapporté ou discours indirect permet au narrateur, au locuteur, de citer les paroles d'une autre personne.
Selon le type de phrase citée,
– le verbe introducteur du discours rapporté change et indique l'intention d'énonciation de la personne citée ;
– la construction de la phrase rapportée change également ;
– les pronoms personnels et les adjectifs possessifs changent : ils correspondent à la personne à qui ils se rapportent ;
– les guillemets, les deux points et les points d'interrogation (si la phrase est interrogative) ou d'exclamation
(si la phrase est injonctive) disparaissent.

Type de phrase citée	Verbes introducteurs	Construction de la phrase
Une énonciation	Dire, raconter, annoncer, prévenir, expliquer, répéter, répondre, déclarer...	*que...*
Une injonction (ordre)	Dire, demander, ordonner, exiger...	*de...*

Une interrogation
La question est intonative >
Le mot interrogatif est :
    Est-ce que >
    Qui >
    Quand >
    Où >
    Combien >
    Pourquoi >
    Comment >
    Quel(le)(s) >
    Qu'est-ce qui >
    Qu'est-ce que >
	Demander
	Vouloir savoir
		si...
		
		si...
		qui...
		quand...
		où...
		combien...
		pourquoi...
		comment...
		quel(le)(s)
		ce qui...
		ce que...

a. Le discours rapporté au présent

Lorsque le verbe introducteur du discours rapporté est au présent, le(s) verbe(s) de la phrase rapportée restent au(x) même(s) temps.

Discours direct	Discours indirect
Pierre : « *Je viens* dimanche prochain. »	Pierre *dit qu'il vient* dimanche prochain.
Pierre : « *J'arriverai* à 18 heures. »	Pierre *précise qu'il arrivera* à 18 heures.
Marie : « *J'ai été* malade une semaine. »	Marie *raconte qu'elle a été* malade une semaine.
Marie : « *J'avais* la grippe. »	Marie *explique qu'elle avait* la grippe.
Jean à ses enfants : « *Qu'est-ce que vous avez fait* à l'école aujourd'hui ? »	Jean demande à ses enfants *ce qu'ils ont fait* aujourd'hui à l'école.

b. Le discours rapporté au passé

Lorsque le verbe introducteur du discours rapporté est au passé,
– le(s) temps des verbe(s) de la phrase rapportée changent ;
– les expressions de temps changent aussi.

Transformation des temps :

Discours direct	Discours indirect
Présent	Imparfait
Imparfait	
Passé composé	Plus-que-parfait
Plus-que-parfait	
Futur simple	Conditionnel présent
Conditionnel présent	
Subjonctif présent	

Transformation des expressions de temps :

Discours direct	Avant-hier	Hier	Aujourd'hui	Demain	Après-demain
Discours indirect	L'avant-veille	La veille	Ce jour-là	Le lendemain	Le surlendemain

Discours direct	La semaine dernière Le mois dernier	Cette semaine Ce mois	La semaine prochaine Le mois prochain
Discours indirect	La semaine précédente Le mois précédent	Cette semaine-là Ce mois-là	La semaine prochaine Le mois suivant

Exemple :

Nathalie : « *Je me suis inscrite à l'Université cette semaine. J'ai passé un Bac scientifique et, l'an prochain je veux commencer des études de médecine.* »

Nathalie **m'a dit** qu'elle **s'était inscrite** à l'Université cette **semaine-là** ; qu'elle **avait passé** un Bac scientifique et qu'elle **voulait** commencer des études de médecine **l'année suivante**.

III Le passif

La forme passive est généralement utilisée dans la presse, les médias, car elle permet de présenter des informations de façon neutre.

Une phrase à la forme active peut être transformée à la forme passive si elle comporte un complément d'objet direct ; si le sujet de la phrase n'est pas un pronom personnel. Lors de la transformation :
– le complément d'objet direct de la phrase à la forme active devient le sujet de la phrase à la forme passive ;
– le sujet de la phrase à la forme active devient le **complément d'agent** du verbe de la phrase à la forme passive ;

– le complément d'agent est généralement précédé de la préposition « par » ;
– si le verbe de la phrase à la forme active exprime un sentiment, le complément d'agent est alors précédé de la préposition « de » ;
– dans le cas où le sujet du verbe de la phrase active est le pronom « on », la phrase à la forme passive n'a pas de complément d'agent.

Forme active	Forme passive
Le gel a causé cet accident.	*Cet accident **a été causé** par le gel.*
***On** interdit les chiens dans ce restaurant.*	*Les chiens **sont interdits** dans ce restaurant.*
Les enfants adorent ce jeu.	*Ce jeu est adoré **des** enfants. C'est un jeu adoré **des** enfants.*

IV Le gérondif

- Le gérondif se forme à l'aide du **participe présent** précédé de « en » :

Exemples : *Nous mangeons → mange**ant** (participe présent) → **en mangeant** = gérondif*
        *Nous finissons → **en finissant***   *Nous partons → en partant*

- Le gérondif exprime :

a. La manière
Exemple : *Il a été renversé par une voiture **en traversant** la rue.* (= quand il traversait)

b. La condition
Exemple : *Tu auras une réduction sur le prix **en payant** comptant.* (= si tu payes comptant)

c. La simultanéité
Il peut s'agir d'une simple simultanéité ou de deux actions qui ont lieu en même temps et, dans ce cas, le sujet des deux actions est le même.

Exemples : *Couvre-toi bien au moment où tu sors ! → Couvre-toi bien **en sortant** !*
        Elle tricote et regarde la télévision.   → *Elle tricote **en regardant** la télévision.*

V Articulations logiques simples

Il s'agit de mots et d'expressions qui introduisent, expriment les notions de cause, de conséquence et d'opposition.

a. Expression de la cause
La cause est essentiellement introduite par les conjonctions parce que, comme et puisque.
Le tableau suivant permet de comprendre quel est leur emploi.

Expression de la cause	Personne A	Personne B
A ne connaît pas la cause de l'action de B **A pose une question à B** →	*Tiens ! Tu vas au cinéma ? Pourquoi ?* →	***Parce qu'**il fait trop mauvais pour aller me promener !*
A ne connaît pas la cause de l'action de B **A ne pose pas de question à B** A « constate » quelque chose → B prend la parole spontanément, donne la raison de son action. →	*Tu sors ?* → →	***Comme** il fait trop mauvais pour aller me promener, je vais au cinéma.*
A connaît la cause de l'action / de la demande de B **A propose quelque chose à B** → B prend la parole spontanément, explique une action / demande quelque chose →	*Je vais à la poste. Tu veux quelque chose ?* → →	*Non, mais **puisque** tu y vas, tu veux bien poster mes lettres ?* ***Puisque** tu vas à la Poste, tu veux bien poster mes lettres ?*

b. Expression de la conséquence

La conséquence est introduite par une conjonction exprimant :
– soit une simple conséquence → *si bien que* (+ l'indicatif)
– soit une conséquence, un but que l'on souhaite → *pour que* (+ le subjonctif)
– soit une conséquence « résultat » d'une intensité → *si/tellement* (+ adjectif ou adverbe) + *que*

Exemples : *Il a trop mangé, **si bien** qu'il est malade.*
*Elle m'a envoyé un SMS **pour que** nous allions la chercher à la gare.*
*Tu es **si** (tellement) adroite **que** tu réussis tout !*
*Il pleuvait **si** (tellement) fort **que** j'étais trempée !*

////////////// **VI** **La concordance des temps** //

Dans une phrase complexe, c'est-à-dire composée d'une proposition principale et (d'au moins) une proposition subordonnée, si le temps du verbe de la proposition principale change, celui du verbe de la (des) proposition(s) subordonnée(s) change aussi.

On considèrera ici quatre cas de concordance des temps, correspondant au niveau B1 :
– les subordonnées introduites par le pronom relatif **que** ;
– les subordonnées de **cause**, de **but**, de **temps**.

a. Les subordonnées introduites par le pronom relatif que

Proposition principale	Proposition subordonnée		Exemples
Présent	Présent (1)	→	Il *dit* qu'elle *part*.
	Futur (2)	→	Il *dit* qu'elle *partira*.
	Passé composé (3)	→	Il *dit* qu'elle est *partie*.
	Imparfait (4)	→	Il *dit* qu'elle *partait*.
	Subjonctif présent (5)	→	Il *veut* qu'elle *parte*.
Passé composé Imparfait Plus-que-parfait	(1) Imparfait	→	Il *a dit* qu'elle *partait*.
	Plus-que-parfait	→	Il *disait* qu'elle *était partie*.
	(2) Conditionnel présent	→	Il *avait dit* qu'elle *partirait*.
	(3) Imparfait	→	
	Plus-que-parfait	→	
	(4) Imparfait	→	
	(5) Conditionnel présent		Il *a voulu* Il *voulait* qu'elle *parte*. Il *avait voulu*

b. Les subordonnées de cause

Les principales conjonctions de cause sont *parce que, comme* et *puisque*. Les verbes des deux propositions sont à l'indicatif.

Proposition principale	Proposition subordonnée		Exemples
Présent	Présent	→	*Je **sors** parce que j'**ai chaud**.*
	Passé composé	→	*Je **sors** parce que j'**ai eu chaud**.*
	Imparfait	→	*Je **sors** parce que j'**avais chaud**.*
Futur	Présent	→	*Je **sortirai** parce que j'**ai chaud**.*
	Futur	→	*Je **sortirai** parce que j'**aurai chaud**.*
Passé composé	Présent	→	*Je **suis sortie** parce que j'**ai chaud**.*
	Imparfait	→	*Je **suis sortie** parce que j'**avais chaud**.*
	Passé composé	→	*Je **suis sortie** parce que j'**ai eu chaud**.*
	Plus-que-parfait	→	*Je **suis sortie** parce que j'**avais eu chaud**.*
Imparfait	Imparfait	→	*Je **sortais** parce que j'**avais chaud**.*
Plus-que-parfait	Imparfait	→	*J'**étais sortie** parce que j'**avais chaud**.*
	Plus-que-parfait	→	*J'**étais sortie** parce que j'**avais eu chaud**.*

c. Les subordonnées de but

Dans une subordonnée de but, introduite le plus souvent par **pour que**, le temps du verbe ne change pas, quel que soit le temps du verbe de la proposition principale.

Exemples : *Je lui **écris** pour qu'elle vienne.*   *Je lui **avais écrit** pour qu'elle vienne..*

d. Les subordonnées de temps

Au niveau B1, deux cas sont considérés :
– L'action de la proposition subordonnée a lieu en même temps que celle de la principale : les deux actions sont simultanées. Les conjonctions les plus fréquentes à ce niveau sont **quand, comme, pendant que, depuis que**.
– L'action de la proposition subordonnée a lieu avant celle de la principale. Les conjonctions les plus fréquentes à ce niveau sont **quand, depuis que, dès que, chaque fois que**.
– Dans les deux cas, les verbes des deux propositions sont à l'indicatif, en général au même temps, sauf au passé. Dans ce cas, si le verbe de la principale est au passé composé, celui de la subordonnée peut être à l'imparfait ou au passé composé.

Exemples : *Elle **a lu** pendant qu'il **regardait** son match de foot.*
          *Quand ils **se rencontrent**, ils **vont boire** un café.*

VII Les doubles pronoms

Il est possible d'utiliser simultanément un pronom complément direct et un pronom complément indirect dans une même phrase. Comme les simples pronoms, ils se placent devant le verbe dont ils sont l'objet.

a. Aux temps simples et aux temps composés, leur ordre d'utilisation est le suivant :

1	2	3	4	5
me te se nous vous	le la les	lui leur	y	en

Les combinaisons possibles sont les suivantes :

1 + 2   **Exemples :** *Ils **nous** prêtent <u>les livres</u>. → Ils **nous les** prêtent.*
                          *Elle ne **s'**achète pas <u>cette robe</u>. → Elle ne **se l'**achète pas.*
1 + 4   **Exemples :** *Il **me** conduit <u>à la gare</u>. → Il **m'y** conduit.*
                          *Nous **nous** intéressons <u>à la peinture</u>. → Nous **nous y** intéressons.*
1 + 5   **Exemple :** *Ils **nous** offrent <u>des fleurs</u>. → Ils **nous en** offrent.*
2 + 3   **Exemple :** *Vous **lui** donnez <u>votre adresse</u>. → Vous **la lui** donnez.*
3 + 5   **Exemple :** *Nous **leur** préparons <u>des boissons</u>. → Nous **leur en** préparons.*

b. À l'impératif affirmatif, leur ordre d'utilisation est le suivant :

1	2	3	4
le la les	moi toi lui nous vous leur	y	en

Les combinaisons possibles sont les suivantes :

1 + 2   **Exemples :** *Prête-**moi** <u>ton livre</u>. → Prête-**le moi**.*
2 + 4   **Exemple :** *Achetez-**leur** <u>des livres</u>. → Achetez-**leur en**.*
2 + 3   **N'est pratiquement jamais utilisé !**

Pour se situer dans le temps, il est possible d'utiliser les prépositions et adverbes de temps.

a. Les prépositions

La (les) préposition(s)		exprime(nt)	Exemples
à	→	un moment, une heure	*Nous commençons à 9 h.*
en	→	une date, une période	*Je pars en août.*
de… à	→	une période, un intervalle de temps	*Il est là du soir au matin.*
vers	→	un moment approximatif	*Il vient vers 3 h.*
dans	→	une durée dans le futur	*Elle part dans dix jours.*
en	→	une durée	*On fait ça en deux heures.*
dès		marquent un point de départ dans le temps	*Dès le matin, il travaille.*
depuis			*Elle est là depuis midi.*

b. Les adverbes

Les adverbes	exprime(nt)	Exemples
hier, aujourd'hui, demain, un jour, après-demain, avant-hier	une date	**Demain,** *je rentre chez moi.* **Un jour,** *je serai médecin.* **Avant-hier,** *je suis allé au cinéma.*
maintenant, bientôt, en ce moment, alors, tout de suite, plus tard, tôt, tard, ensuite, aussitôt…	un moment	*Le film commence* **bientôt.** *Elle s'est levée* **tard.** *Je ferai cela* **plus tard.**
longtemps, encore, toujours	une durée	*Elle a* **longtemps** *habité ici.*
parfois, rarement, de temps en temps, souvent	une fréquence	*Nous allons de temps en temps à la piscine.*

Pour situer quelque chose, on peut utiliser un adverbe ou une préposition de lieu.

a. Localisation à l'aide d'un adverbe de lieu

Les adverbes de lieu peuvent, pour la plupart, se regrouper par « paires », chaque terme s'opposant à l'autre :

    ici/là, là-bas   *à gauche/à droite*   *en haut/en bas*
    devant/derrière   *au-dessus/au-dessous*   *dessus/dessous*
    dedans/dehors   *au centre*   *au milieu*   *au fond*   *par terre*   *autour*

Exemple : *Les enfants aiment beaucoup jouer dans ce parc.* **Au fond, là-bas,** *il y a un circuit pour les vélos,* **à gauche,** *un grand bassin avec des canards et* **à droite** *une zone de jeux avec un toboggan* **au milieu.**

b. Localisation à l'aide de prépositions ou de locutions prépositives

Les prépositions et les locutions prépositives précèdent alors un nom. Comme les adverbes, elles peuvent se regrouper par « paires », un terme s'opposant à l'autre.

– Les prépositions :
    sur/sous   *devant/derrière*   *vers*   *dans*   *à*   *chez*   *en*   *jusqu'à*   *par…*

– Les locutions prépositives :
    à gauche de/à droite de   *près de/loin de*   *au-dessus de/au-dessous de*
    hors de   *au centre de*   *au milieu de*   *en face de*   *le long de…*

Exemple : Au centre de *la place,* **devant chez** *moi, il y a un petit square avec quelques bancs* **autour du** *bassin.*

Présents dans les textes narratifs ou descriptifs, on les trouve aussi dans les textes argumentatifs. Ils ont pour fonction de marquer les différentes étapes du discours.

Pour commencer	*(Tout) D'abord* ↓	*En premier lieu* ↓	*Premièrement* ↓
Pour continuer	*Ensuite, puis* ↓	*En second lieu* ↓	*Deuxièmement* ↓
Pour conclure	*Enfin*	*En dernier lieu*	*Finalement*

Exemple : *Il a* **d'abord** *enfilé sa chemise,* **puis** *son pull et* **enfin** *il a mis sa veste.*

– Les pronoms relatifs évitent la répétition d'un mot ou d'un groupe de mots.
– Ils relient deux propositions : la proposition principale, située avant le pronom relatif et la proposition relative située après le pronom relatif.
– Le choix du pronom relatif dépend de la relation grammaticale entre le mot (ou le groupe de mots) situé avant le relatif et le verbe, ou l'expression verbale, situé(e) après, ainsi que le présente le tableau suivant :

Le mot ou le groupe de mots est		un être vivant *ou* non
sujet (1)		*qui*
complément d'objet direct (2)		*que*
complément	→ d'un nom (3) → d'un verbe (4) → d'un adjectif (5)	*dont*
complément	→ de lieu (6) → de temps (7)	*où*

Exemples : (1) *J'ai acheté une robe. Elle est très belle.* → *J'ai acheté une robe qui est très belle.*
(2) *J'ai acheté une robe. Je mets cette robe souvent.* → *J'ai acheté une robe que je mets souvent.*
(3) *Il m'a raconté une histoire. J'ai oublié la fin de l'histoire.* → *Il m'a raconté une histoire dont j'ai oublié la fin.*
(4) *Cet homme est médecin. Tu m'as parlé de lui.* → *Cet homme dont tu m'as parlé est médecin.*
(5) *Ton fils a fait une bêtise. Tu es fier de ton fils.* → *Ton fils dont tu es fier a fait une bêtise.*
(6) *La région de Nice est magnifique. J'ai passé mes vacances dans la région de Nice.*
→ *La région de Nice où j'ai passé mes vacances est magnifique.*
(7) *Il dormait profondément. À un moment, le téléphone a sonné.*
→ *Le téléphone a sonné au moment où il dormait profondément.*

Il existe différentes façons d'exprimer l'hypothèse. En fonction des temps et des modes choisis, cette hypothèse est certaine, réalisable, n'a pas pu être réalisée. Le tableau ci-dessous présente ces différents cas :

Type d'hypothèse	Expression de l'hypothèse	Expression de la conséquence	Exemples et sens
Certaine	Présent de l'indicatif	Impératif	*Si tu veux réussir, travaille !* C'est une proposition, une obligation, un ordre.
		Présent de l'indicatif	*Si tu travailles, tu réussis.* Cela est tout à fait sûr !
		Futur de l'indicatif	*Si tu travailles, tu réussiras.* Cela est pratiquement sûr !
Réalisable	Imparfait de l'indicatif	Conditionnel présent	*Si tu travaillais, tu réussirais.* Mais tu ne travailles pas, alors tu ne réussis pas ! Cela ne tient qu'à toi, à ta volonté de réussir !
Non réalisée	Imparfait de l'indicatif	Conditionnel passé	*Si tu travaillais, tu aurais réussi.* Mais tu ne travailles jamais, alors tu ne pouvais pas réussir !
	Plus-que-parfait	Conditionnel passé	*Si tu avais travaillé, tu aurais réussi.* Comme tu n'as pas travaillé, tu ne pouvais pas réussir !
	Plus-que-parfait	Conditionnel présent	*Si tu avais travaillé, maintenant, tu passerais de bonnes vacances...* Mais tu dois réviser ton examen...

a. Formation

– L'adverbe se forme en ajoutant au féminin de l'adjectif le suffixe « -ment » :

Exemples : *actif*   *active*   *activement*

           sérieux   *sérieuse*   *sérieusement*

           vrai   *vraie*   *vraiment* (le « e » de « vraie » est supprimé)

– Pour les adjectifs qui se terminent par « -ant » ou « -ent », les adverbes se forment en remplaçant :
« -ant » par « -amment » et « -ent » par « -emment », prononcés tous deux « aman ».

Exemples : *élégant(e)*   *élégamment*   *intelligent(e)*   *intelligemment*

b. Emploi

Les adverbes de manière se placent généralement après le verbe, aux temps simples et composés.

Exemple : *Il étudie **sérieusement** et participe **activement** aux cours.*

a. Formes

Adjectifs possessifs masculins singuliers	Pronoms possessifs masculins singuliers	Adjectifs possessifs féminins singuliers	Pronoms possessifs féminins singuliers	Adjectifs possessifs masculins et féminins pluriels	Pronoms possessifs masculins pluriels	Pronoms possessifs féminins pluriels
mon →	*le mien*	ma →	*la mienne*	mes →	*les miens*	*les miennes*
ton →	*le tien*	ta →	*la tienne*	tes →	*les tiens*	*les tiennes*
son →	*le sien*	sa →	*la sienne*	ses →	*les siens*	*les siennes*
notre →	*le nôtre*	notre →	*la nôtre*	nos →	*les nôtres*	
votre →	*le vôtre*	votre →	*la vôtre*	vos →	*les vôtres*	
leur →	*le leur*	leur →	*la leur*	leurs →	*les leurs*	

b. Emploi

Un pronom possessif remplace un nom précédé d'un adjectif possessif afin d'éviter une répétition.
Le pronom possessif est alors précédé de l'article défini **le**, **la** ou **les**.

Exemple : *Nous avons acheté la même voiture mais **ma** voiture est rouge et **la sienne** blanche.*

– Les pronoms démonstratifs servent à reprendre un mot ou à introduire une idée nouvelle.
Ils sont variables en genre et en nombre.

Formes		Singulier	Pluriel
Féminines :	– simples	*celle*	*celles*
	– composées	*celle-ci* *celle-là*	*celles-ci* *celles-là*
Masculines :	– simples	*celui*	*ceux*
	– composées	*celui-ci* *celui-là*	*ceux-ci* *ceux-là*

– **Les pronoms démonstratifs de forme simple sont toujours déterminés :**
  • **par un nom :** *Les **roses** de mon jardin sont jaunes, **celles** de Marie sont rouges.*
  • **par un adverbe :** *À Paris **les spectacles** sont chers ; **ceux** d'ici sont plus abordables.*
  • **par un infinitif :** *Avec ces plats, pas de **travail**, sauf **celui** de préparer une sauce.*
  • **par un participe ou un adjectif :** *J'aime beaucoup **ces gâteaux** mais pas **ceux** préparés par Sylvie.*
  • **par une proposition relative :** *Elle préfère les **bonbons** aux fruits, surtout **ceux** qui sont acidulés.*

– **Les pronoms démonstratifs de forme composée se rapportent à une personne ou un objet** déjà nommé
dans le texte oral ou écrit et le caractérisent.

Exemple : *Les maisons anciennes étaient moins confortables que **celles-ci**.*

XVI La comparaison

– Pour comparer les choses ou les personnes, on utilise des expressions montrant la supériorité, l'égalité ou l'infériorité. Ces expressions sont différentes selon qu'elles sont utilisées avec un adjectif, un nom, un adverbe ou un verbe.

Catégorie	La supériorité	L'infériorité	L'égalité	Exemples
Adjectif	*plus... que*	*moins... que*	*aussi... que*	*Il est **plus** grand **que** moi.* *Il est **moins** grand **que** moi.* *Il est **aussi** grand **que** moi.*
Adverbe				*Il court **plus** vite **que** toi.* *Il court **moins** vite **que** toi.* *Il court **aussi** vite **que** toi.*
Nom	*plus de... que*	*moins de... que*	*autant de... que*	*J'ai **plus de** livres **que** vous.* *J'ai **moins de** livres **que** vous.* *J'ai **autant de** livres **que** vous.*
Verbe	*plus que*	*moins que*	*autant que*	*Elle dort **plus que** nous.* *Elle dort **moins que** nous.* *Elle dort **autant que** nous.*

XVII La restriction « ne... que »

Ne... que est une expression adverbiale ayant le même sens que l'adverbe **seulement**.
À la forme simple comme à la forme composée, « **ne** » et « **que** » se placent avant et après le verbe.
Exemples : *Il n'a eu que le temps de boire un café.* (= il a seulement eu le temps.)

XVIII Les indéfinis

Les adjectifs et pronoms indéfinis ont différentes significations.

a. Les adjectifs indéfinis
Au niveau B1, on considère les adjectifs suivants qui expriment :

Une quantité nulle	Une certaine quantité	Un tout	Une totale indétermination	Une identité ou une différence
aucun(e)	*certain(e)(s)* *quelques* *plusieurs*	*tout(e), tous,* *toutes* *chaque*	*n'importe quel(le)(s)*	*le (la) (les) même(s)* *les mêmes* *un(e) autre, d'autres*

Exemple : ***Plusieurs** personnes ont fait **le même** travail mais **certaines** n'ont rien fait.*

b. Les pronoms indéfinis
Au niveau B1, on considère les pronoms suivants qui expriment :

Une quantité nulle	Un singulier	Un pluriel	Un tout	Une identité ou une différence
aucun(e) *personne* *rien*	*un(e)* *un(e) autre* *quelqu'un* *quelque chose*	*d'autres* *quelques–un(e)s* *certain(e)(s)*	*tout* *tous* *toutes* *chacun(e)*	*le (la) (les) même(s)* *l'un(e), l'autre,* *les un(e)s* *les autres*

Exemple : ***Personne** n'a dit que **tout** était fini : **rien** n'est fait !*

XIX La négation « sans » + infinitif

La préposition « **sans** » exprime l'absence, le manque et donc la négation.
Elle s'emploie suivie d'un infinitif pour exprimer deux actions réalisées par une même personne, « **sans** » introduisant une négation.
Exemple : *Je devais prendre un train, alors je suis partie, je n'ai pas perdu de temps !*
    → *Je devais prendre un train, alors je suis partie **sans perdre** de temps !*

En lexique, pour réussir sans (trop) de difficultés les épreuves de l'unité B1 du DELF, il est nécessaire :

- **d'avoir des connaissances lexicales** relatives aux thèmes propres à ce niveau :
  - la vie quotidienne : les achats, les loisirs, les transports, les voyages…,
  - les personnes : description (physique et morale), les vêtements, les sentiments,
  - les lieux : la ville, la campagne, la géographie physique…,
  - le monde professionnel : l'entreprise, l'emploi,
  - l'école, le système scolaire, la formation,
  - les événements: incidents, accidents, phénomènes naturels…
  - les médias : les programmes télévisés, les journaux, internet, les sujets d'actualité,
  - des sujets culturels : cinéma, littérature, peinture, spectacles… ;

    (« Référentiel pour le Cadre européen commun » Alliance Française - CLE International)

- **de comprendre, de dégager le plus vite possible les idées du document, qu'il soit oral ou écrit** et pour cela :
  - de faire appel à toutes ses connaissances lexicales courantes ou relatives au domaine abordé,
  - de recourir aux stratégies de compréhension du lexique utilisées en langue maternelle ;

- **de s'exprimer de façon spontanée et fluide à l'oral, avec aisance et de façon appropriée à l'écrit,**
  - grâce à une bonne maîtrise du lexique relatif au thème concerné,
  - grâce aussi à des stratégies d'expression permettant de pallier les lacunes ou les difficultés lexicales.

////////////// **I Éléments communs à la compréhension et à l'expression orales et écrites** //////////

Afin de réaliser sans trop de difficultés les activités de compréhension et d'expression, il est indispensable :
- d'avoir des connaissances lexicales relatives aux différents aspects du thème abordé ;
- d'avoir des connaissances sur la formation et la dérivation des mots.

1. Lexique du thème abordé

Il s'agit de pouvoir retrouver ou identifier le plus grand nombre de mots relatifs à ce thème.
Pour cela, il convient de considérer, de prendre en compte les différents aspects du thème abordé.

1.1 RECHERCHE DES ASPECTS RELATIFS À UN THÈME

Si le thème est par exemple celui de l'emploi, les aspects possibles sont :
- la qualification professionnelle ;
- la recherche de travail, l'embauche ;
- le contrat, la rémunération ;
- les conditions de travail : lieu, horaires, rythmes, congés ;
- les partenaires de travail ;
- les droits et obligations du travailleur ;
- les conflits, les problèmes…

1.2 RECHERCHE DU LEXIQUE RELATIF AUX DIFFÉRENTS ASPECTS DU THÈME

Pour le thème précédent, les termes pourraient être :
– la qualification professionnelle : *employé, ouvrier, ouvrier spécialisé, chef de chantier (d'équipe), ingénieur, technicien, apprenti, contremaître, chercheur, profession (chimiste, électricien, boulanger…), profession libérale (avocat, architecte, médecin…) diplômes, titres, qualification, expérience…*
– la recherche de travail, l'embauche : *un travail, un emploi, un poste, offre/demande d'emploi, petites annonces, lettre de candidature, cv, lettre de motivation, entretien d'embauche, postuler pour un emploi, se présenter à un entretien, chasseur de têtes, agence d'intérim…*
– le contrat, la rémunération : *un CDD (contrat à durée déterminée), CDI (contrat à durée indéterminée), contrat temporaire, salaire, salarié, promotion…*
– les conditions de travail : *bureau, atelier, laboratoire, usine, entreprise, magasin…, heures supplémentaires, temps plein, temps partiel, mi-temps, pauses, pointer, pointeuse, 40 h, 35 h, les 3x8…, congés, vacances, RTT (récupération de temps de travail), 5 semaines, 6 semaines, congés maternité, congé parental, congé maladie…*
– les partenaires de travail : *le patron, le chef, le (la) directeur(trice), le (la) PDG, le (la) DRH (directeur/rice des ressources humaines), un(e) collègue, le(la) secrétaire…*
– les droits et obligations du travailleur : *le respect du contrat, la ponctualité, la protection sociale, le droit de grève, l'obligation de réserve, le (les) syndicat(s), syndiqué(e), délégué syndical, comité d'entreprise…*
– les conflits, les problèmes : *le débrayage, débrayer, la grève, faire grève, la grève sur le tas, la grève du zèle, le licenciement, la mise à pied…*

2. Formation des mots

Il existe surtout deux types de formation des mots. Un mot peut en effet être :
> – le dérivé d'un autre ;
> – le résultat de la juxtaposition de deux mots.

Toutefois, la formation d'un certain nombre de mots ne procède ni de la dérivation ni de l'assemblage de mots :
C'est le cas : – d'un certain nombre de noms ;
> – de certains mots étrangers « adoptés » par la langue française.

2.1 LA DÉRIVATION

La dérivation est le principal procédé de formation des mots.
Elle est le résultat :
> – essentiellement de l'ajout d'un suffixe à un mot ;
> – mais aussi de l'ajout préfixe à un mot.

a. La dérivation par ajout d'un suffixe

La dérivation peut se faire à partir de : un verbe ; un nom ; un adjectif.

● **Du verbe au nom**

Le nom dérivé garde généralement un sens proche de celui du verbe. Le nom formé indique alors :
> – une personne qui fait une action,
> – un objet qui fait, aide à faire une action,
> – une action, le fait de faire quelque chose, ou encore,
> – un état.

Suffixe	Verbe	Nom masculin	Nom féminin	Sens
-ier / -ière	cuisiner	cuisinier	cuisinière	un métier
	poivrer saler	poivrier	salière	un objet
-eur / -euse	coiffer	coiffeur	coiffeuse	un métier
	poudrer		poudreuse	un objet
- (a)teur/ - (a)trice	éduquer	éducateur	éducatrice	un métier
	obturer facturer	obturateur	facturatrice	un objet
- ant(e)	manifester exploiter	manifestant exploitant	manifestante exploitante	une personne un métier
	fertiliser	fertilisant		un objet
-oir(e)	(se) moucher passer	mouchoir	passoire	un objet
-(a)tion -(i)tion	obliger diriger répéter		obligation direction répétition	une action
- (i)son	guérir		guérison	une action
- (i)ssion	permettre		permission	une action
- (t)ure	déchirer lire		déchirure lecture	un état une action
- (isse)ment	enseigner lotir		enseignement lotissement	une action
- (iss)age	plier pétrir	pliage pétrissage		une action

● **Du nom au nom**

Le nom dérivé ne garde en général pas le sens du nom d'origine.

Suffixe	Sens du nom d'origine	Nom d'origine	Nom féminin	Sens
-ien(ne)	branche professionnelle	chirurgie	chirurgien(ne)	profession
-iste		chimie	chimiste	
-ier(ère)		épicerie	épicier(ère)	
-er(ère)		boucherie	boucher(ère)	
-ariat	profession	notaire	notariat (m)	branche professionnelle
-orat		professeur	professorat (m)	
-aire	objet	livre	libraire (m/f)	profession
-iste		bouquin	bouquiniste (m/f)	
-ier(ère)		vitre	vitrier(ère)	
-(t)ée		une cuillère / une pelle	une cuillerée / une pelletée	contenu
-ier	fruit	une poire	un poirier	arbre
-et(te)		un garçon / une fille	un garçonnet / une fillette	diminutif

● **Du nom au verbe**

Le verbe dérivé est formé à partir du mot qui sert à faire l'action. **Exemples :** La colle → coller/Le sucre → sucrer

● **Du nom à l'adjectif**

Suffixe	Nom	Adjectif dérivé	Sens
-ais(e)	France	français(e)	propre à un pays
-ois(e)	Suède	suédois(e)	
-ain(e)	Mexique	mexicain(e)	
-ien(ne)	Italie	italien(ne)	
-(i)er(ère)	fromage / fruit	fromager(ère) / fruitier(ière)	propre à un produit
-é(e)	sucre	sucré(e)	au goût du produit
-u(e)	poil / cheveu	poilu(e) / chevelu(e)	aspect physique
-in(e)	enfant	enfantin(e)	trait de caractère
-aire	secte	sectaire	
-ique	méthode	méthodique	
-if(ive)	compréhension	compréhensif(ive)	
-esque	chevalier	chevaleresque	
-al(e)	architecture	architectural(e)	qui a rapport à
-el(le)	personne	personnel(le)	
-oire	obligation	obligatoire	

● **De l'adjectif au nom féminin**

Le nom dérivé a pour sens une qualité ou un état. Il se forme sur l'adjectif au féminin. Il est de genre féminin.

Suffixe	Adjectif masculin	Adjectif féminin	Nom dérivé	Sens
-(i)té	léger / aimable	légère / aimable	légèreté / amabilité	qualité
-(er)ie	jaloux / étourdi	jalouse / étourdie	jalousie / étourderie	
-esse	gentil / tendre / poli	gentille / tendre / polie	gentillesse / tendresse / politesse	
-ance	élégant	élégante	élégance	
-ence	prudent	prudente	prudence	
-ise	sot	sotte	sottise	
(i)tude	seul / inquiet	seule / inquiète	solitude / inquiétude	état

- De l'adjectif au verbe

Suffixe	Adjectif masculin	Adjectif féminin	Verbe dérivé	Sens
-ir	*jaune* *blanc*	*jaune* *blanche*	*jaunir* *blanchir*	devenir...
-iser	*normal*	*normale*	*normaliser*	rendre...

- De l'adjectif à l'adverbe
Voir ce point de grammaire (page 170)

b. La dérivation par ajout d'un préfixe

- Préfixes indiquant le contraire

Préfixe	Nom	Adjectif dérivé
dé(s)	*agréable* *illusion* *monter*	*désagréable* *désillusion* *démonter*
in-	*élégant* *faisable*	*inélégant* *infaisable*
im-	*meuble* *possible*	*immeuble* *impossible*
ir-	*régulier*	*irrégulier*
a-	*typique*	*atypique*

- Préfixes indiquant une notion de position dans le temps ou l'espace

Préfixe	Mot dérivé	Notion de temps	Notion d'espace
pré-	*un préavis*	X	
post-	*postposer*	X	
entre-	*un entracte*		X
extra-	*extraordinaire*		X
intra-	*intraveineux(euse)*		X
trans-	*transporter*		X

- Préfixes indiquant une intensité

Préfixe	Adjectif	Adjectif dérivé
extra-	*lucide*	*extralucide*
hyper-	*actif(ive)*	*hyperactif(ive)*
super-	*marché*	*supermarché*
sur-	*passer*	*surpasser*

2.2 MOTS FORMÉS PAR JUXTAPOSITION

- de deux mots
– Un verbe + un verbe : *un faire-valoir, un laisser-aller, un laissez-passer* ;
– Un verbe + un nom : *un porte-plume, un coupe-circuit, un passe-temps* ;
– Un verbe + un adverbe : *un passe-partout, un monte-en-l'air, un risque-tout* ;
– Un nom + un nom : *un timbre-poste, une voiture-restaurant* ;
– Un nom + un adjectif : *un bal-masqué, une fête-foraine, du fer-blanc* ;
– Un adjectif + un adjectif : *un bon vivant, un sourd muet.*

- de plusieurs mots
Ils forment des groupes que l'on ne peut séparer. **Exemples :** *le mot à mot, un mot clef, un bon à rien...*

2.3 MOTS ÉTRANGERS

On remarque, pour ceux qui ne sont pas repris tels quels, qu'ils font l'objet :

– soit d'une adaptation de leur orthographe pour en restituer le plus possible la prononciation.
 Exemples : *un blogue, un blogueur, un skipeur…*

– soit d'une « traduction », domaine où excellent les Canadiens francophones.
 Exemples : *un baladeur (walkman), un courriel (mail), le clavardage (chat)…*

II Stratégies de compréhension lexicale

Le fait que, dans un texte, le lexique soit présenté en contexte, facilite beaucoup sa compréhension.
En fonction du type de texte, le lecteur va recourir à des stratégies différentes pour approcher et comprendre le lexique. Toutefois, il les utilise parfois en même temps, quel que soit le domaine du texte.
Trois stratégies sont plus particulièrement utilisées : les mots en correspondance, l'inférence lexicale, les réseaux lexicaux.

1. Les mots en correspondance

Dans certains textes, notamment des entretiens, on s'aperçoit que les mots se correspondent, s'explicitent mutuellement.
La stratégie consistera, pendant la lecture du texte, à vérifier s'il existe une correspondance entre les mots d'un paragraphe et ceux d'un autre, entre ceux d'une remarque ou d'une question et ceux de la réponse afin d'en tirer parti pour comprendre le texte. Les mots inconnus seront compris grâce aux mots connus qui leur correspondent.

2. L'inférence lexicale

Pour bon nombre de textes, le titre, ainsi que le chapeau, s'il y en a un, permettent d'inférer, c'est-à-dire de prévoir dans ces textes, la présence d'un certain nombre de mots, ou bien de leurs synonymes qui appartiennent au thème, au domaine abordé.
Le lecteur va dès lors faire appel à ses connaissances lexicales mais aussi à ses connaissances dans le domaine traité. Il va aussi bien sélectionner les termes propres au sujet que rejeter ceux qui ne le concernent pas.
Le travail réalisé au point 1.1.2. ci-dessus est un exemple d'inférence de termes relevant d'un domaine.

3. Les réseaux lexicaux

On constate que dans le cas de certains textes qui exposent un problème, des idées ou qui présentent un objet, une expérience, les mots employés se regroupent pour former des « réseaux » autour des idées ou de certains aspects de ces textes.
Lors de la lecture d'un texte, la stratégie consiste alors une fois les idées identifiées, à leur associer les réseaux lexicaux qui leur correspondent. Parmi ces réseaux lexicaux figurent ceux relatifs à la formation des mots.

III Stratégies d'expression

Il est important, pour le futur candidat à un examen, mais, de façon générale, pour toute personne ayant à s'exprimer oralement ou à l'écrit de posséder un certain nombre de stratégies lui permettant de pallier ses difficultés.
La crainte assez fréquente est celle qui consiste à manquer de vocabulaire, à ne pas pouvoir exprimer sa pensée.
Cela tient au fait que l'on a trop souvent tendance à vouloir disposer à tout moment, de façon spontanée, de tous les termes nécessaires à notre expression, que ce soit dans notre langue ou en langue étrangère. Or, nous savons que dans notre propre langue, ce n'est pas toujours le cas ! Comment pourrait-il en être différemment en langue étrangère ?
En réalité, les connaissances lexicales acquises permettent en général d'éviter de rester sans parole ou sans pouvoir trouver le mot qui convient à l'écrit.
La stratégie consiste à transférer à la langue étrangère les procédés utilisés en langue maternelle, à les appliquer chaque fois qu'ils se révèlent nécessaires.
Il est possible de faire appel à :

– un synonyme,
– un antonyme,
– un procédé de définition,
– un procédé de description,
– une explication,

– une comparaison,
– voire d'essayer de former un mot exprimant ce que l'on souhaite en mettant en application ses connaissances dans la formation des mots. Ceci est plus facile et moins risqué à l'oral car notre interlocuteur participe en général à la recherche du terme et souvent propose celui qui lui semble convenir.

N° de projet : 10243533 - Dépôt légal : juillet 2012
Imprimé en France par IME By Estimprim en janvier 2018.
Le papier de cet ouvrage est composé de fibres naturelles, renouvelables, fabriquées à partir de bois provenant de forêts gérées de manière responsable.